初級の重要テーマ55の集中レッスン！意味や使い方の違いがよくわかる！

くらべてわかる
初級
日本語表現文型ドリル

Learning through comparison　Sentence pattern drills for elementary Japanese expression

通过比较明白　初级日语句型练习

비교해서 안다　초급 일본어 표현문형 연습

英・中・韓　語句訳付き

Includes translations of words and phrases

附有语句翻译

어구 번역 첨부

岡本牧子・氏原庸子（大阪YWCA）共著

Jリサーチ出版

はじめに

　この本は、初級の勉強は終わったけれども、少し自信がないという人や、もう一度復習したいという人や、日本語能力試験のために勉強したいという人たちのために作りました。

　いつも同じ間違いをしてしまうとか、文法の細かな違いがわからないときなどに見てください。みなさんがよく間違えるところや、質問が多い項目を取り上げています。2つの文法項目のポイントを比べて、どこがどのように違うのか、どんなときに使うのかをわかりやすく説明しています。

　もう一つの特長は、ほとんどの例文が会話の形になっていることです。試験のための勉強だけではなく、毎日の生活でも、勉強したいろいろな表現を使ってコミュニケーションをしてほしいと考えたからです。

　また、練習問題もたくさんあります。説明を読んで、理解できたかどうか、練習問題で試してみてください。

　みなさんの日本語が今よりもっと上手になることを願って作った本です。文法を覚えるだけでなく、違いがわかったら自信を持ってどんどん使ってみましょう。

2010年1月

岡本牧子・氏原庸子

もくじ

この本の使い方 …………………………………………………………………… 8

会話文のポイント ………………………………………………………………… 12

01 AあいだにB　AあいだB …………………………………………………… 14
出かけているあいだにワンさんが来た。／バスを待っているあいだ、本を読んでいた。

02 行ったときB　行くときB …………………………………………………… 16
ハワイへ行ったとき、買いました。／ハワイへ行くとき、買いました。

03 Aがっている　Aそうだ ……………………………………………………… 18
彼も行きたがっています。／彼も行きたいそうです。

04 Aかもしれません　Aと思います …………………………………………… 20
今晩、雨が降るかもしれません。／今晩、雨が降ると思います。

05 疑問のことば＋Aばいい（Aたらいい）？　Aたほうがいい？ ………… 22
何時に行けばいいですか。／病院に行ったほうがいいですか。

06 Aくなる　Aになる …………………………………………………………… 24
空が赤くなった。／信号が赤になった。

07 AけれどもB　BけれどもA ………………………………………………… 26
高いけど、おいしい。／おいしいけど、高い。

08 Aことになった　Aことにした ……………………………………………… 28
来月から東京で働くことになった。／来月からアルバイトをすることにした。

09 コ・ソ・ア(「これ・それ・あれ」など)① …………………………………… 30

10 コ・ソ・ア(「これ・それ・あれ」など)② …………………………………… 32

11 AさっそくB　AすぐB ……………………………………………………… 34
メールを送ったら、さっそく、返事が来ました。／帰ったら、すぐ電話をください。

12 Aされる　Aしてもらう ……………………………………………………… 36
先生に注意された。／先生にアドバイスしてもらった。

4

13 自動詞　他動詞 … 38
窓が開いています。／窓を開けてください。

14 上手です … 40
先生は料理がお上手ですね。

15 知りません　わかりません … 42
そんな人、知りません。／値段はわかりません。

16 Aそうです　Aって言っていました … 44
今日、東京は寒いそうです。／寒いって言っていました。

17 それはよかったですね　それはいいですね … 46
(合格しました。)——それはよかったですね。／(図書館で借ります。)——それはいいですね。

18 AだけB　AしかBない … 48
パンだけ食べた。／パンしか食べなかった。

19 Aたこと(が)ない　Aること(が)ない … 50
アボカドは、食べたことがない。／アボカドは、あまり食べることがない。

20 たのしい　うれしい … 52
お店がたくさんあって、楽しかった。／久しぶりに友達と会えて、うれしかった。

21 Aたばかり　Aたところ … 54
買ったばかりで、まだ使っていません。／今、駅に着いたところです。

22 Aたほうがいい　Aばいい(Aたらいい) … 56
今日はもう帰ったほうがいい。／明日、早く来ればいい。

23 AたままB　AてB … 58
服を着たまま、寝てしまった。／パジャマを着て、寝た。

24 AためにB　AのにB … 60
結婚するために、お金を貯めます。／これを食べるのに、スプーンを使います。

25 AためにB　AようにB … 62
これを見るために、ここまで来た。／5時に起きられるように、早めに寝た。

26 Aつもり … 64
今日は早く帰るつもりです。

27 Aつもりだ　Aようと思う … 66
来年、引っ越すつもりです。／来年、引っ越そうと思います。

№	項目	ページ
28	**AでBて行く　AへBに行く**	68
	コンビニで買って行こう。／コンビニへ買いに行こう。	
29	**Aてもらいませんか　Aてもらえませんか**	70
	先生に見てもらいませんか。／先生、ちょっと見てもらえませんか。	
30	**Aている　Aてある**	72
	窓が開いている。／窓が開けてある。	
31	**Aてください　Aようにしてください**	74
	5時に来てください。／少し前に着くようにしてください。	
32	**Aてもいいですか？──いいえ……**	76
	ここ、座ってもいいですか。──いいえ……	
33	**Aてもらう　Aてくれる　Aてあげる**	78
	友達に貸してもらった。／友達が貸してくれた。／友達に貸してあげた。	
34	**AときB　AたらB**	80
	駅に着いたとき、ちょうど6時でした。／駅に着いたら、電話をください。	
35	**AときB　AたらBた**	82
	初めて読んだとき、あまり面白くなかった。／もう一度読んだら、面白かった。	
36	**AはBのとなり　AはBのよこ**	84
	銀行のとなりにコンビニがあります。／テーブルのよこにゴミ箱があります。	
37	**AないでB　AなくてB**	86
	寝ないで勉強したんですか。／寝なくて大丈夫ですか。	
38	**Aないほうがいい　Aなくてもいい**	88
	これは買わないほうがいい。／これは買わなくてもいい。	
39	**AながらB　AてB**	90
	みんなでおしゃべりをしながら、ご飯を食べた。／コートを着て、出かけた。	
40	**AならB　AたらB**	92
	旅行に行くなら、教えて。／旅行に行ったら、教えて。	
41	**Aに行く　Aに来る①**	94
	お祭りに行きませんか。／私のうちに来ませんか。	
42	**Aに行く　Aに来る②**	96
	空港に迎えに行ってくれませんか。／空港に迎えに来てくれませんか。	

43	Aね Aよ 〈終助詞〉	98
	おいしいですね。／おいしいですよ。	
44	Aは Aが ①	100
	ビールはいいです。／日本酒がいいです。	
45	Aは Aが ②	102
	トイレは2階にあります。／2階にトイレがあります。	
46	AはBにCをDられた　AのCはBにDられた	104
	(私は)ワンさんに住所を聞かれました。／私の弟は、先生に叱られました。	
47	Aます Aんです	106
	ハワイに行きます。／ハワイに行くんです。	
48	Aまでに A中に	108
	夏休みまでにレポートを出してください。／今月中にレポートを出してください。	
49	見られる 見える	110
	天気がいい日は、富士山も見られます。／ほら、富士山が見えますよ。	
50	もっとA ずっとA	112
	あっちの店は、もっと安い。／病院にいるより、家にいるほうが、ずっといい。	
51	Aようだ Aらしい	114
	昨日より少し寒いようです。／昨日より少し寒いらしいです。	
52	Aようにする Aようになる	116
	朝早く起きるようにします。／朝早く起きるようになりました。	
53	Aらしい Aみたい	118
	男らしい人ですね。／男みたいな人ですね。	
54	Aを Aに 〈助詞〉	120
	駅を出たところにあります。／まっすぐ行くと、大通りに出ます。	
55	やっとA とうとうA	122
	やっと元に戻った。／とうとう壊れてしまった。	
まとめの問題		124

◎別冊に、「れんしゅう」と「まとめの問題」の答え、語句の訳などがあります。

この本の使い方　How to use this book／此书的使用方法／이 책의 사용법

● 各ユニットのタイトルです。使い分けの難しい文型や表現などを取り上げます。

These are the titles for each unit. Easily-confused sentence patterns and expressions are dealt with here.

各单元的标题。举出难以区别使用的句型及表达方式。

각 UNIT 의 타이틀입니다. 가려 쓰기 어려운 문형이나 표현등을 다룹니다.

● 最初に、簡単な問題を通して、テーマを確認します。

First, understanding of the theme of the unit is verified through a series of simple questions.

最初，通过简单的问题确认主题。

처음에 간단한 문제를 통해 테마를 확인합니다.

● 意味や使い方などの違いを表で説明します。

Differences in meaning and usage are explained through tables.

通过图表说明意义及使用方法的不同。

의미나 사용법등의 차이를 표로 설명합니다.

03　Aがっている　Aそうだ

Q 田中さんと林さん、今、歯が痛いと、はっきりわかるのは、どっちのほうですか。

　：田中さん、歯を抜いたんだって。顔が腫れてて、痛そうだった。
　：そう言えば、林さんも、虫歯で痛がってた。

「Aがっている」と「Aそうだ」は、話し手が誰かの様子を見て、それを人に伝える表現。この二つの表現の違いを見てみよう。

Aがっている	Aそうだ
1 「Aがっている」は、誰かが「自分の意志や気持ちを外に強く表している様子」を見たり聞いたりしたときに、それを人に伝えるときの表現。Aに来るのは、形容詞や「〜ほしい」、「〜たい」。	1 「Aそうだ」は、誰かの様子を見て「〜だろう」と思ったことを、人に伝えるときの表現。
2 林さんが痛がっていた：〈林さんが、はっきり「痛い」と言うなど、苦しんでいる様子をはっきり示した〉ことを表している。	2 は、「顔が腫れている」のを見て「痛そうだった」と言っているが、「(実際は) 腫れているけど、もう痛くない」ということも、十分考えられる。
3 「Aがっている」は、物の様子には使わない。また、直接その相手に言うことはできない。	3 「Aそうだ」のAには、形容詞や動詞が来る。また、物の様子を表すことも、直接その相手に言うことも、できる。
× 大丈夫？ 寒がっているね。	○ 雨が降りそうだ。 ○ このケーキはおいしそうだ。 ○ 大丈夫？ 寒そうだね。

POINT　「Aそうだ」のAが動詞（ます形）の場合は、「もうすぐAになる」「Aになる寸前」という様子を表す。
　　　　　○ あと少しで、この仕事は終わりそうだ。

18

● 取り上げた文型や表現を使った例文を紹介します。

Examples of sentence patterns and expressions covered in the unit are introduced.

介绍使用了所举句型及表达方式的例文。

언급한 문형이나 표현을 사용한 예문을 소개합니다.

例文

① 🧑: 一郎君、どうしたんですか。ずっと大声で泣いていましたね。
　🧑: 上の子にパソコンを買ったら、自分もほしがって……。まだ6歳なのに。

② 🧑: お客さんの熱気で会場が暑そうだから、空調をもっと強くしたら？
　🧑: そうですか。 そんなに暑そうには見えませんけど……。

③ 🧑: どうしたの？ 泣きそうな顔をして。何か悲しいことでもあった？
　🧑: 財布を落としちゃって……。中に2万円も入ってたのに。

れんしゅう

次の（　）のa、bのうち、正しいほうを選んでください。

① 🧑: その荷物、（a. 重そうだ　b. 重がっている）ね。
　🧑: 重くないよ。大きいけど、中は空だから。

② 🧑: 子どもを歯医者に連れて行ったら、（a. 痛そうに　b. 痛がって）暴れて、困りました。
　🧑: 大変でしたね。

③ 🧑: そんな（a. 嫌そうな　b. 嫌がった）顔しないで。ちょっとあいさつするだけなんだから。
　🧑: わかってるよ。でも、あの人、ほんとに苦手なんだよ。

④ 🧑: そのカレー、（a. 辛そう　b. 辛がっている）だね。
　🧑: ううん、全然辛くないよ。ちょっと食べてみて。

⑤ 🧑: うちの子、あの映画見てから（a. 怖そうに　b. 怖がって）、夜、一人でトイレに行けないのよ。
　🧑: あれは私も怖かったわ。

● 最後に、理解を深めるための練習問題をします。

Finally, a series of practice questions helps to deepen understanding of material covered.

最后，为了加深理解来做练习题。

마지막으로 이해를 깊게 하기위해 연습문제를 합니다.

（Qの答え：林さん）

会話文のポイント　Important points in the conversation／会话文的要点／회화문의 포인트

■音が抜け落ちる　Omitting sounds／音缺漏／소리가 누락되다

- ほんとです。（←ほんとうです。）
- ほんと、きれいでした。（←ほんとうにきれいでした。）
- きれいなとこです。（←きれいなところです。）
- 知ってます。（←知っています。）
- ここで待っててください。（←ここで待っていてください。）
- 高いけど、おいしい。（←高いけれど、おいしい。）
- 先に行ってて（ください）。（←先に行っておいてください。）

■短い音に変わる　Shortening sounds／変成短音／짧은 음으로 바뀌다

- 風邪をひいちゃいました。（←風邪をひいてしまいました。）
- 忘れちゃいけないよ。（←忘れてはいけないよ。）
- 行かなきゃならないんですか。（←行かなければならないんですか。）
- もう読んじゃった。（←もう読んでしまった。）

■助詞の省略　Eliding particles／助词的省略／조사의 생략

- コーヒー飲む？（←コーヒーを飲む？）
- かぜ治りましたか。（←かぜは治りましたか。）
- これから、どこ行きますか。（←これから、どこに行きますか。）
- そんなことあるんですか。（←そんなことがあるんですか。）

■「です」「ます」「だ」「か」「の」などの省略

- 彼は学生？（←彼は学生ですか。）
- そう思わない？（←そう思わないか。）
- 昼ごはんは、どうします？（←昼ごはんは、どうしますか。）
- それは何？（←それは何ですか。）
- 場所はどこ？（←場所はどこですか。）
- これも買う？（←これも買うんですか？）
- それ、おいしい？（←それ、おいしいの？）

■ 順序が変わる　Changing word order ／順序変化／순서가 바뀌다

- 買うの、やめた。高かったから。（←高かったから、買うの、やめた。）
- 上手なんですよ、子どもなのに。（←子どもなのに、上手なんです。）
- ご飯食べちゃった。帰ってこないと思って。
  （←帰ってこないと思って、ご飯食べてしまった。）

■ 最後を省略する・あいまいに言う
Eliding the ends of sentences/saying something in an ambiguous way ／省略最后・含糊地说／마지막을 생략하다・애매하게 하다

- 2時半ですね。もう行かないと（←もう行かないと~~いけません~~）。
- 私は帰るけど。（←私は帰るけど、~~あなたはどうするの？~~）
- 初めてだから、不安で……。（←初めてだから、不安で~~しかたがない~~。）
- 行かなきゃ。（←行かなきゃ~~ならない~~。）
- 連絡しなければ……。（←連絡しなければ~~いけない~~。）
- さいふをとられたかも……。（←さいふをとられたかも~~しれない~~。）

■「～って」

- ワンさんは、よくわからないって言っています。
  （←ワンさんは、よくわからないと言っています。）
- ワンさんは、「よくわかりません」って言っています。
  （←ワンさんは、「よくわかりません」と言っています。）
- 火事って、こわいですね。（←火事というものは、こわいですね。）
- ワンさんって、親切ですね。（ワンさんという人は、親切ですね。）

■「～っと」

- もっと勉強しようっと。（←もっと勉強しようと思う。）

■「～（だ）って」「～（だ）っけ」

- 私のくつ、どっちだっけ。（←私のくつ、どっちだったかな。）
- 彼女、引っ越しするんだって。（←彼女、引っ越しするそうです。）

くらべてわかる
初級日本語表現文型ドリル

解説とドリル
Explanations and drills
解说和练习
해설과 연습

01

Aあいだに B　Aあいだ B

Q 👤は、aとb、どっちを使って👤に頼めばいいですか。

👤：a．ぼくが出かけているあいだに、田中さんが来たら、これを渡して。
　　b．ぼくが出かけているあいだ、田中さんが来たら、これを渡して。

👤：はい、わかりました。

📓 「Aあいだに B」と「Aあいだ B」は「に」だけの違いだが、意味は大きく異なる。

Aあいだに B	Aあいだ B
1「Aあいだに B」は「Aという期間・時間のある時点でBが起こる（Bをする）」ことを表す。 	**1**「Aあいだ B」は「Aという期間の全部でBが起こる（Bをする）」ことを表す。 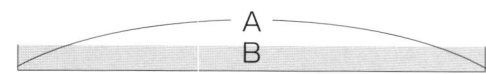
2 Qの👤は「"出かけている時間"のどこかで"（田中さんが）来る"」と言っているので、aの「あいだに」が正しい。	**2** Qでは「👤が"出かけている時間"、ずっと田中さんが"来ている"のではない」ので、bの「あいだ」は間違い。
3 Aは期間などを表すので、「～がある・いる」「～ている」などの動詞を使う。Bは、ある時点、短い時間・期間に行う動作を表すので、瞬間動詞（☞ P.90）をよく使う。 ○ 夏休みのあいだに、車の免許をとりました。	**3** Aは期間などを表すので、「～がある・いる」「～ている」などの動詞を使う。Bも期間全部を使ってすることなので、継続動詞（☞ P.90）をよく使う。 ○ 夏休みのあいだ、スペイン語の勉強をしていました。

POINT　主語によって、次のような形になる。

〈AとBの主語が同じ場合〉　～はAあいだ（に）B

　　私は掃除しているあいだ、窓を開けています。

〈AとBの主語が違う場合〉　～がAあいだ（に）～はB

　　私が掃除をしているあいだ、彼はずっと寝ていました。

> 例文

① 👤：部長に何か言われていましたね。大丈夫ですか。
　👤：はい……。会議のあいだに、ちょっと居眠りしちゃったんです。
② 👤：今日も一日中、パソコンを使った作業。結局、仕事をしているあいだ、誰とも話さなかった。
　👤：そう……。それは、ちょっとつらいね。
③ 👤：私が買い物しているあいだ、そこの本屋で待っててくれる？
　👤：じゃ、そのあいだに、銀行へ行ってくるよ。

れんしゅう

次の（　）に、「あいだに」か「あいだ」を入れてください。

❶ 👤：ねえ、おいしいの？　食事の（　　　　）、ずっと黙ってテレビ見て……。おいしいとか、おいしくないとか、言ってよ。
　👤：ごめん、ごめん。すごくおいしいよ。

❷ 👤：お父さん！　いい天気になったよ。どこかに連れて行ってよ。
　👤：ああ……寝ている（　　　　）雨がやんだのか。

❸ 👤：今日はバスがなかなか来なくて、待っている（　　　　）この本、ほとんど読んじゃったよ。
　👤：そう。私はバスを待っている（　　　　）、ずっと音楽聞いてるわ。

❹ 👤：◯さん、イタリア語できるの？
　👤：ううん、パスタ屋でバイトしている（　　　　）ちょっと覚えただけ。

❺ 👤：ねえ、この写真見て。すごくきれい。スイスだって。生きている（　　　　）この目で見てみたい。
　👤：よしっ！　お金貯めて、いっしょに行こう。

(Qの答え：a)

02 行ったときB　行くときB

Q 沖縄で帽子を買ったのは、ですか、ですか。

：この帽子、沖縄に行くとき、買ったの。
：へー、いいじゃない。私のは、沖縄へ行ったとき、買った。

「AときB」のAが「行く・来る・帰る」などの"移動"を表す動詞の場合、「〜る(u)とき」と「〜た(ta)とき」では、Bを〈する・した〉場所が異なる。

〈行った・来た・帰った〉ときB	〈行く・来る・帰る〉ときB
1「AたときB」は「Aが終わったときB」ということ。「〈行った・来た・帰った〉先で〜」、つまり「目的地で」という意味。	1「AるときB」は「Aが終わる前にB」ということ。「〈行く・来る・帰る〉とき〜」は「〈行く・来る・帰る〉前に／途中で〜」という意味。
2 例えば、「国に帰ったとき、友達に会った」という文の場合、「国にいる友達に会った」という意味になる。	2 例えば、「国に帰るとき、友達に会った」という文の場合、「"日本で"、または"飛行機の中で"友達に会った」という意味になる。
3 は「行ったとき」と言っているので、「"沖縄で"買った」ということになる。	3 は「行くとき」と言っているので、「"沖縄に行く前"、または"空港などで"買った」ということになる。

POINT　移動についての文で、Bが移動の手段を表すとき、「Aる(u)ときB」「Aた(ta)ときB」を使う（ほかの例：「AのにB」）。また、次のbの場合、昔のことを思い出しているようなニュアンスがある。

a．沖縄へ行くとき、ふじ航空に乗った。
b．沖縄へ行ったとき、ふじ航空に乗った。

例文

① 👤：もしもし、今日、帰るとき、牛乳買ってきて。
　👤：うん、わかった。

② 👤：まだ時間になってなかったのに、会場に行ったときには、もうコンサートが始まっていました。
　👤：へー、そんなこと、あるんですか。

③ 👤：あれ？　田中さんがまだみたい。
　👤：来るとき、駅で会ったけど……。どうしたんだろう？

れんしゅう

次の（　　）のa、bのうち、正しいほうを選んでください。

❶ 👤：そのパン、どうしたの？
　👤：学校に（a．来る　b．来た）とき、駅前のコンビニで買ったんだ。

❷ 👤：国に（a．帰る　b．帰った）とき、おみやげは、どこで買いますか。
　👤：関西空港で買おうと思います。

❸ 👤：道を（a．渡る　b．渡った）ときは、左右をよく見て、注意するんですよ。
　👤：はーい。

❹ 👤：「着払い」って、どういうものですか。
　👤：宅配便の人が荷物を持って（a．来る　b．来た）ときに、受け取る人がお金を払うことです。

❺ 👤：結婚式に（a．行く　b．行った）ときは、どんな服がいいですか。
　👤：花嫁が白い服だから、それ以外の色の服がいいですよ。

(Qの答え：👤)

03

Aがっている　Aそうだ

Q 田中さんと林さん、今、歯が痛いと、はっきりわかるのは、どっちのほうですか。

👤：田中さん、歯を抜いたんだって。顔が腫れてて、痛そうだった。
👤：そう言えば、林さんも、虫歯で痛がってた。

「Aがっている」と「Aそうだ」は、話し手が誰かの様子を見て、それを人に伝える表現。この二つの表現の違いを見てみよう。

Aがっている	Aそうだ
1 「Aがっている」は、誰かが「自分の意志や気持ちを外に強く表している様子」を見たり聞いたりしたときに、それを人に伝えるときの表現。Aに来るのは、形容詞や「〜ほしい」、「〜たい」。	1 「Aそうだ」は、誰かの様子を見て「〜だろう」と思ったことを、人に伝えるときの表現。
2 **林さんも痛がっていた**（Qの👤）：〈林さんが、はっきり「痛い」と言うなど、苦しんでいる様子をはっきり示した〉ことを表している。	2 👤は、「顔が腫れている」のを見て「痛そうだった」と言っているが、「（実際は）腫れているけど、もう痛くない」ということも、十分考えられる。
3 「Aがっている」は、物の様子には使わない。また、直接その相手に言うことはできない。	3 「Aそうだ」のAには、形容詞や動詞が来る。また、物の様子を表すことも、直接その相手に言うことも、できる。
× 大丈夫？　寒がっているね。	○ 雨が降りそうだ。 ○ このケーキはおいしそうだ。 ○ 大丈夫？　寒そうだね。

POINT　「Aそうだ」のAが動詞（ます形）の場合は、「もうすぐAになる」「Aになる寸前」という様子を表す。
　○ あと少しで、この仕事は終わりそうだ。

例文

① 👤：一郎君、どうしたんですか。ずっと大声で泣いていましたね。
　👤：上の子にパソコンを買ったら、自分もほしがって……。まだ6歳なのに。
② 👤：お客さんの熱気で会場が暑そうだから、空調をもっと強くしたら？
　👤：そうですか？　そんなに暑そうには見えませんけど……。
③ 👤：どうしたの？　泣きそうな顔をして。何か悲しいことでもあった？
　👤：財布を落としちゃって……。中に2万円も入ってたのに。

れんしゅう

次の（　　）のa、bのうち、正しいほうを選んでください。

❶ 👤：その荷物、（a．重そうだ　b．重がっている）ね。
　👤：重くないよ。大きいけど、中は空だから。

❷ 👤：子どもを歯医者に連れて行ったら、（a．痛そうに　b．痛がって）暴れて、困りました。
　👤：大変でしたね。

❸ 👤：そんな（a．嫌そうな　b．嫌がった）顔しないで。ちょっとあいさつするだけなんだから。
　👤：わかってるよ。でも、あの人、ほんとに苦手なんだよ。

❹ 👤：そのカレー、（a．辛そう　b．辛がっている）だね。
　👤：ううん、全然辛くないよ。ちょっと食べてみて。

❺ 👤：うちの子、あの映画見てから（a．怖そうに　b．怖がって）、夜、一人でトイレに行けないのよ。
　👤：あれは私も怖かったわ。

（Qの答え：林さん）

04 Aかもしれません　Aと思います

Q 😊は、🧍の不安に対して、aとb、どっちで答えればいいですか。

🧍：テレビを見ていたら、3年以内に東京で大きい地震が起きるって、専門家が言ってたけど、怖いなあ。
😊：大丈夫だよ。a．起きないかもしれないよ。
　　　　　　　 b．起きないと思うよ。

将来のことについて「Aかもしれません」や「Aと思います」を使うときは、推量の意味がある。二つの違いについて、考えてみよう。

Aかもしれません	Aと思います
1「Aかもしれません」は「Aの可能性がある」という意味。 🧍：明日、雨が降るかなあ？ 😊：星が出ていないから、降るかもしれませんね。 「明日、降るか降らないか」について、「星が出ていない」ことを理由に、「降る可能性がある」と推量している。	1「Aと思います」は「話し手の意見を述べる文。「Aかもしれない」のように、「可能性がある」というだけではなく、よりはっきりした考えを表す。 🧍：明日、雨が降るかなあ？ 😊：星が出ていないから、降ると思いますよ。 「星が出ていない」ことを理由に、😊は自信を持って、「雨が降る」と言っている。
2 Qの「地震が起きない可能性がある」は、一方で、「起きる可能性も残る」ということ。これでは、🧍は安心できない。	2 Qのbでは、「起きない」と、はっきり意見を述べている。このほうが、（地震が起きることを怖がっている）🧍は安心できる。

POINT　過去に起こったことに使う場合、「かもしれません」のほうが「と思います」よりあいまいな意味になる。
　○ かぎをかけ忘れたのは、私かもしれません。
　○ かぎをかけ忘れたのは、私だと思います。

例文

① 👤：田中さん、明日のパーティー、行くのかなあ。
　👤：この前、行かないって言ってたから、行かないと思いますよ。
② 👤：田中さんって、最近、きれいになったと思わない？
　👤：ええ、誰か好きな人ができたのかもしれませんね。
③ 👤：ここから大阪駅まで、JRなら20分、地下鉄なら25分。JRのほうが早いと思う。
　👤：でも、JRは遅れることがよくあるから、地下鉄のほうが確実かもしれないよ。

れんしゅう

次の文では、aとb、どっちのほうが自然ですか。

❶ 👤：となりの家に泥棒が入ったから、怖くて……。それで、防犯カメラを付けたりしたんだけど……。
　👤：だったら、大丈夫だよ。誰も　（a．入ってこないかもしれないよ。
　　　　　　　　　　　　　　　　　　b．入ってこないと思うよ。）

❷ 👤：この旅館、古いね。幽霊が出そうで、気持ち悪い。
　👤：今晩、（a．出るかもしれませんよ。
　　　　　　b．出ると思いますよ。）

❸ 👤：先生、父は何か重い病気なんでしょうか。
　👤：検査をしてみないとわかりません。（a．そうかもしれません。
　　　　　　　　　　　　　　　　　　　　b．そうだと思います。）

❹ 👤：私の辞書、知らない？
　👤：あれ？（a．さっきまで、ここにあったかもしれませんが……。
　　　　　　　b．さっきまで、ここにあったと思いますが……。）

（Qの答え：b）

05

疑問のことば ＋Ａばいい（Ａたらいい）？　Ａたほうがいい？

Q の言い方は、ａとｂ、どっちが正しいですか。

👤：日本人の友達が入院しているので、お見舞いに行くんだけど、
（　ａ．何を持って行ったらいいのかな。　）
　　ｂ．何を持って行ったほうがいいのかな。

👤：花とか本とかが、いいんじゃないかな。

「Ａばいい」「Ａたらいい」「Ａたほうがいい」は、いずれも助言の表現だが、使い方の点で、「Ａばいい」「Ａたらいい」の二つと「Ａたほうがいい」に違いがある。

疑問のことば＋Ａばいい（Ａたらいい）？　Ａたほうがいい？

1 助言を求める場合に「いつ・どこ・だれ・なに・どんな」など「疑問のことば（疑問詞）」と一緒に使えるのは、「Ａばいい」「Ａたらいい」。「Ａたほうがいい」は使わないので、注意しよう。

　　結婚式には、どんな服を　○ 着て行けばいいですか。
　　　　　　　　　　　　　　× 着て行ったほうがいいですか。

　　彼は怒っていると思うんだ。どんなふうに　○ 謝ったらいいかなあ。
　　　　　　　　　　　　　　　　　　　　　　× 謝ったほうがいいかなあ。

2 Ｑでは、疑問のことば「何」があるので、「〜たらいい」になる。

> 例文

① 🧑：明日は朝から会議をする予定ですから、遅れないでください。
　👤：何時にどこへ行けばいいんですか。
② 🧑：その書類は経理課に出してください。
　👤：経理課の誰に出せばいいですか。
③ 🧑：お礼の手紙を書きたいんですが、どう書いたらいいか、教えていただけませんか。
　👤：ええ、いいですよ。

れんしゅう

【　】のことばを使って、「Aばいい」の文を作ってください。

① 🧑：明日のパーティーでスピーチをしてほしいんだけど……。
　👤：私が？　いいけど、＿＿＿＿＿＿＿＿＿＿＿＿＿＿＿＿＿＿【何】

② 🧑：「燃やせるごみ」と「燃やせないごみ」があるから、気をつけて。
　👤：これは燃やせるごみだけど、＿＿＿＿＿＿＿＿＿＿＿＿＿＿【いつ】

③ 🧑：わからないことがあったら、事務所で聞いてください。
　👤：ありがとうございます。＿＿＿＿＿＿＿＿＿＿＿＿＿＿【だれ】

④ 🧑：日本語の辞書、持ってないの？　買ったほうがいいよ。
　👤：わかりました。＿＿＿＿＿＿＿＿＿＿＿＿＿＿＿＿【どこ】

⑤ 🧑：明日のパーティーだけど、👤さんはサンドイッチを作ってくれる？
　👤：わかった。でも、＿＿＿＿＿＿＿＿＿＿＿＿＿＿【どうやって】

(Qの答え：a)

06 Aくなる　Aになる

Q 信号が点滅しています。😀は😀に急ぐように言います。aとb、どっちを使えばいいですか。

😀：早く！　走って！　信号が（a．赤くなる！　b．赤になる！）

😀：待って！

「赤くなる」「赤になる」は、変化を表す「〜になる」に「赤い・赤」が付いたもの。二つの違いを確認しよう。

Aくなる	Aになる
1「Aくなる」は、色の形容詞の「A」に変化の「〜になる」が付いた形。少しずつ色が変化するときに使う。 ○ イチゴが少しずつ赤くなっている。 ○ 日に焼けて、ちょっと黒くなった。 **2** Qでは、信号の色の変化について言っている。信号の色は少しずつ変わるものではないので、aは使わない。	**1**「Aになる」は、色の名詞の「A」に変化の「〜になる」が付いた形。瞬間的に色が変わるときに使う。 ○ このランプが青になったら安全です。 ○ 朝起きたら、庭一面が真っ白になっていた。 **2** Qでは、信号の「青→赤」の変化について言っている。信号の色は瞬間的に変わるものなので、bを使う。

POINT　これらは「赤・青・白・黒・茶色・黄色」など、名詞と形容詞の両方で使うことばに限られる。
　　○ 充電が始まると、このランプが黄色になります。
　　○ 葉っぱの先が黄色くなっている。

例文

① 👤：最近、急に涼しくなりましたね。
　👤：ええ。葉っぱも赤くなり始めて、すっかり秋ですね。
② 👤：ほら、あんなに日に焼けていたのに、だんだん白くなってきただろう。
　👤：ほんとだ。元に戻ってきたね。
③ 👤：「オセロ」ってゲームは、どうやったら勝つの？
　👤：例えば、白と白で黒をはさんだら、黒が白になるんだよ。最後に、数が多いほうが勝ちだよ。

れんしゅう

次の（　）のa、bのうち、正しいほうを選んでください。

❶ 👤：〇〇さんって、肌はきれいだし、美人だし、ほんとにうらやましい。
　👤：いやだ、そんなに見ないで。恥ずかしくて、顔が（a．赤くなる　b．赤になる）。

❷ 👤：久しぶりに林先生に会ったら、昔とだいぶ変わってて、びっくりした。
　👤：そう、そう。髪が（a．白く　b．白に）なってたでしょ。

❸ 👤：じゃ、車に気をつけてね。左右をよく見て、信号が（a．青くなったら　b．青になったら）渡るんですよ。
　👤：はーい。

❹ 👤：あれ？　シャツのそでが（a．黒くなってる　b．黒になってる）よ。
　👤：ほんとだ。汚れてる。

（Qの答え：b）

07 AけれどもB　BけれどもA

 😊は😐に誘われました。😊は、aとb、どっちで答えたほうが、印象がいいですか。

😐：お酒を飲みに行きませんか。いい店があるんですよ。
😊：a．お酒はあまり飲めないんですけど、ちょっとだけなら付き合いますよ。
　　b．ちょっとだけなら付き合いますけど、お酒はあまり飲めないんです。

「Aけれども（けど／だが）B」と「Bけれども（けど／だが）A」は、AとBを入れかえただけだが、相手の受ける印象は違う。

AけれどもB	BけれどもA
1「AけれどもB」の文で、話し手が言いたいのはB。 ○ 寿司はおいしいけど、高い。 この文で話し手が言いたいのは、「寿司は高い」ということ。 2 Qのaでは、😊は「付き合う（いっしょに行く）」と言いたい。→誘っている😐に対して、いい印象。	1「BけれどもA」の文で、話し手が言いたいのはA。 ○ 寿司は高いけど、おいしい。 この文で話し手が言いたいのは、「寿司はおいしい」ということ。 2 Qのbでは、😊は「酒はあまり飲めない」と言いたい。→「あまり行きたくない」というニュアンスが出る。→誘っている😐に対して、マイナスの印象。

> **例文**

① 👤：ねえ、いいバイトがあるよ。朝5時からなんだけど、時給が2,000円。
　👤：へー、いいね、それ。
② 👤：引っ越したんだって。どう？　新しいマンションは？
　👤：うん、駅から遠いけど、広くてきれいだよ。
③ 👤：景気がなかなかよくならず、苦しい状況が続きますけれども、がんばりましょう。
　👤：はい、わかりました。

れんしゅう

次の会話の答えは、aとb、どっちがいいですか。

❶ 👤：そのかばん、買うの？
　👤：a．うん、高いけど、たくさん入りそうだね。買おうかな。
　　　b．うん、たくさん入りそうだけど、高いね。買おうかな。

❷ 👤：どうしてマラソンを始めたんですか。
　👤：a．それが……よくわからないけど、走りたくなったんです。
　　　b．それが……走りたくなったんだけど、よくわからないです。

❸ 👤：どうする？　出かける？
　👤：a．まだ雨降ってるけど、やみそうだね。出かけようか。
　　　b．やみそうだけど、まだ雨降ってるね。出かけようか。

❹ 👤：明日の集合場所、聞いた？
　👤：a．うん、よくわかんなかったけど、聞いた。
　　　b．うん、聞いたけど、よくわかんなかった。

(Qの答え：a)

27

08

Aことになった　Aことにした

Q は、aとb、どっちを言ったらいいですか。

：a．ぼく、たばこをやめることになったんだ。
　　　b．ぼく、たばこをやめることにしたんだ。

：体にいいことだから、がんばって。

「Aことになった」と「Aことにした」は、ともに「Aが決定した」という意味だが、どのように決定したか、が異なる。

ことになった	ことにした
1「Aことになった」は、「"自分の意志では決定できないこと"が決まった」ときに使う。 ○ ビザが切れるので、帰国することになりました。 **2** Qでは、「Aことになった」を使うと、「"たばこをやめるかどうか"が、自分の意志で決められないこと」になり、不自然。 ※ただし、自分の意志で決めたことでも、目上の人への報告などで、自分のことを控えめに言うことがある。 ○ 先生、4月からA社で働くことになりました。	**1**「Aことにした」は、「"自分の意志で決定できること"を決めた・決心した」「意志を固めた」ときに使う。 ○ 姉の結婚式があるので、帰国することにしました。 **2** Qでは、「"たばこをやめる"ということは、自分で決めること」なので、bの「ことにした」が正しい。

> 例文

① 👤：引っ越しするんだって？
　 👤：ええ。子どもが大きくなって、ちょっと狭くなってきたから、広いところに移ることにしたんです。

② 👤：引っ越しするんだって？
　 👤：ええ。今の家が市の道路計画の対象地域にあるから、引っ越すことになったんです。

③ 👤：どうしたの？　急に自転車なんか買ってきて。
　 👤：健康診断で太りすぎだって言われて……。これで運動することにしたんだ。

れんしゅう

次の（　）のa、bのうち、正しいほうを選んでください。

❶ 👤：今度、PTAの会長をすることに（a．した　b．なった）んです。
　 👤：そうですか。それは大変ですね。

❷ 👤：私、今日からダイエットすることに（a．した　b．なった）。
　 👤：それって何回目？

❸ 👤：あの先生の治療を受けることに（a．した　b．なった）よ。
　 👤：それがいいと思う。頑張って。

❹ 👤：先生、おかげさまで、奨学金がもらえることに（a．しました　b．なりました）。
　 👤：それはよかったね。じゃ、勉強、ますます頑張らないと。

❺ 👤：裁判の結果、治療にかかった費用は、すべて払ってもらうことに（a．しました　b．なりました）。
　 👤：そうですか。それはよかったですね。

（Qの答え：b）

09 コ・ソ・ア(「これ・それ・あれ」など) ①

Q 「コ・ソ・ア」の使い方は、どれが正しいですか。

：あれ？　私のめがねがない。どこに置いたのかなあ。

：めがねなら、ほら、（a．ここ　b．そこ　c．あそこ）にありますよ。あなたの頭の上ですよ。

「コ・ソ・ア」は、「今、目の前にあるもの」に使う場合と、「文や話の中のもの」に使う場合がある。ここでは、「今、目の前にあるもの」に使う場合を考えよう。

コ	 聞き手より話し手の近くにあるもの（A） 聞き手と話し手の両方に近くて、心理的にも、両方に近いもの（B） 
ソ	  話し手より聞き手のほうに近いもの（A） 聞き手と話し手の両方に近くても、心理的に遠いもの（B） Qでは、めがねはの頭の上にあるので、「そこ」になる。
ア	聞き手と話し手の両方から遠いもの 

例文

① 🧑：この服、買おうかなー。どう？ 似合う？
　👤：う～ん、それよりこっちのほうがいいと思うけど……。
② 🧑：ねえ、あの人見て。あんなに大きい荷物持って、電車に乗るつもりかな？
　👤：あれ、何かの楽器だね。
③ 🧑：これ見て！ かわいい！
　👤：ほんとだ！ ほしいな、これ。

れんしゅう

次の文では、a～cのどれを使うのが自然ですか。
※2つ使える場合は、2つ選んでください。

❶ 🧑：（a．この　b．その　c．あの）辺に郵便局はありませんか。
　👤：信号の向こうに白いビルがあるでしょう。郵便局は、（a．この　b．その　c．あの）ビルの中にありますよ。

❷ 🧑：机の上にあったDVD、知らない？
　👤：（a．ここ　b．そこ　c．あそこ）にあるじゃない。ほら、あなたの目の前。

❸ 🧑：（a．この　b．その　c．あの）、向こうのベンチに座っている人、だれ？
　👤：ああ、（a．この　b．その　c．あの）人は、田中さんのご主人よ。

❹ 🧑：〈電話で〉書類のコピーができたら、（a．ここ　b．そこ　c．あそこ）に持って来てください。
　👤：はい、（a．こちら　b．そちら　c．あちら）に持って行けばいいんですね。

❺ 🧑：わあー、重そうな荷物ですね。（a．こんな　b．そんな　c．あんな）に持って、どこへ行くんですか。
　👤：ちょっと、（a．ここ　b．そこ　c．あそこ）まで。

(Qの答え：b)

10 コ・ソ・ア（「これ・それ・あれ」など）②

Q 「コ・ソ・ア」の使い方は、どれが正しいですか。

👤：高校1年のとき、クラスが同じだった田中さん、覚えている？　昨日、梅田で会ったよ。
👤：ああ、覚えている、覚えている。（a．この　b．その　c．あの）人、今、何しているの？

「これ・それ・あれ（コ・ソ・ア）」は、今、実際に見ているものに使う場合と、文や文章、話の中のものに使う場合がある。ここでは、文や文章、話の中のものに使う場合を考えよう。

コ	話題になっているものを、話し手がよく知っていて、聞き手があまり知らない（と、話し手が感じている）場合に使う。また、心理的に話し手が親しみを持っている（自分の方に近いと感じている）場合にも使う。 ○ 私の友達に田中さんって人がいるんですが、この人がおもしろい人なんです。
ソ	話題になっているものについて、話し手があまり知らなくて、聞き手がよく知っている場合に使う。また、話し手が心理的に、聞き手側に近いと感じている場合や、相手の話の中に出てきたものを示す場合にも使う。 👤：今日は「すきやき」にするから、お肉をたくさん食べて。 👤：その「すきやき」って、どんな料理ですか。 また、話したすぐあとにもう一度、同じものを示す場合にも使う。 ○ 昨日、梅田ですごくきれいな人を見たんだけど、その人、女優のAかもしれない。
ア	話題になっているものについて、話し手と聞き手が、同じような立場で、同じような経験や理解をしている場合に使う。 👤：昨日のあの店、おいしかったね。 👤：うん。あの最初の魚料理は、特にうまかったね。 Qの田中さんは、👤も👤も知っているので、「あの人」になる。

例文

① 🧑: 昨日、部長が言ってたあの話、本当かなあ。
　👤: あれは本当だろう。間違いないと思うよ。
② 🧑: 私、彼のためなら、今の仕事、やめてもいい。
　👤: そんなに好きなら、早く結婚すればいいのに。
③ 🧑: 来週から、また忙しくなりそう。
　👤: えー、これ以上忙しくなったら、もう死んじゃうよ。

れんしゅう

次の文では、a〜cのどれを使うのが自然ですか。
※2つ使える場合は、2つ選んでください。

❶ 🧑: はい、これ。沖縄のおみやげ。
　👤: わー、ありがとう。
　🧑: いい店があってね。（a．この　b．その　c．あの）店、沖縄音楽のライブもやっているんだけど、料理もおいしいのよ。
　👤: えー、いいなあ。今度行ったら、（a．ここ　b．そこ　c．あそこ）へ行ってみたい。

❷ 🧑: 先週、研究発表会で、田中さんっていう人に会ったんです。（a．この　b．その　c．あの）人はT大学の学生で、すごくハンサムなんですよ。
　👤: ああ、（a．この　b．その　c．あの）人、めがねをかけているでしょ？
　🧑: ええ。知ってるんですか。
　👤: （a．この　b．その　c．あの）田中さんなら、知っていますよ。（a．この　b．その　c．あの）人はハンサムだから、目立ちますね。

❸ 🧑: 昨日、うちの近所で火事があったんです。（a．この　b．その　c．あの）火事で1人、けが人も出たみたいで……。
　👤: ああ、（a．この　b．その　c．あの）火事のこと、私も新聞で見ました。怖いですよね、火事って……。
　🧑: 私はちょうど（a．この　b．その　c．あの）とき、家にいたんですけど、消防車がいっぱい来て、本当に怖かったですよ。

(Qの答え：c)

11 Aさっそくb　AすぐB

Q はに、aとb、どっちで答えればいいですか。

　　：あの言葉の意味、わかりましたか。
　　：ええ。森先生に聞いたら、(a. さっそく　　わかりました。)
　　　　　　　　　　　　　　　(b. すぐ　　　　わかりました。)

「AさっそくB」と「AすぐB」は、ともに「Aのあと、時間を置かないでB」という意味だが、その違いは何だろう？

AさっそくB	AすぐB
1「AさっそくB」は「Aのあと、急いで／早くBする」という意味。Bには、意志で「すること」が来る。	1「AすぐB」は「Aのあと、時間を置かないで、早くBする／Bになる」という意味。Bには「意志ですること」「自然にBになること」、どっちも来る。
2「わかる」は、自分の意志で、したりしなかったりできるものではない。したがって、Qのは「さっそく」が使えない。	2 Qでは、二人の会話から「森先生に聞いたら、その場で理解できた」ことがわかる。したがって、「すぐ」が入る。
3「AさっそくB」は、「Aの成立→それを待っていたように反応してB」というニュアンスがある。 ○ 先生からの手紙を読んで、さっそく返事を書いた。 × 火事に気づいて、さっそく火を消した。（←火事を待っていたような感じがある）	3「AすぐB」は「Aのあと、時間がかからずにB」というニュアンス。 ○ 先生からの手紙を読んで、すぐ返事を書いた。 ○ 火事に気づいて、すぐ火を消した。

例文

① 🧑：これ、北海道のおみやげです。召し上がってください。
　 🧑：ありがとうございます。さっそく、いただきます。
② 🧑：昨日は何時ごろに寝ましたか。
　 🧑：昨日はすごく疲れていたので、家に帰ったら、すぐ寝ました。
③ 🧑：遅くなりました。これ、今日の会議の資料です。
　 🧑：ご苦労さま。じゃ、さっそくコピーして、配ってください。

れんしゅう

次の文の中で、「さっそく」が使えないのは、どれですか。

❶ 山の頂上に着いたら、（　　　　　）雨が降り出した。

❷ 今日習った日本語を（　　　　　）使ってみました。

❸ 父は入院して、（　　　　　）亡くなりました。

❹ ご飯を食べて、（　　　　　）ソファに寝るのは、行儀がよくない。

❺ とてもよく似ていたので、会って（　　　　　）彼女の妹だとわかりました。

❻ 誕生日にもらった靴を、娘は（　　　　　）今日のデートにはいていった。

❼ あの店がおいしいと聞いて、（　　　　　）行ってみました。

❽ おみやげに買って帰ったお菓子は、（　　　　　）なくなってしまいました。

(Qの答え：b)

12 Aされる　Aしてもらう

Q あなたが😐なら、aとb、どっちを言いますか。

😐：きのう、あれから部長に飲みに連れて行かれちゃったよ。
😐：a．へー、それはよかったね。
　　b．へー、それは大変だったね。

「部長は😐を飲みに連れて行った」という事実は一つだが、😐の気持ちによって、「Aされる」（受身の文）と「Aしてもらう」を使い分ける。

Aされる（受身の文）	Aしてもらう
△は😐をAする。 😐は△にAされる。	△は😐にAしてあげる。 😐は△にAしてもらう。
行為を受けた人😐が、「Aという行為を受けた」と言い表すのが、受身の文。そのほとんどが迷惑な行為で、その場合、受けた人😐の「嫌だな」という気持ちを表す。	「Aしてあげる」は、相手が喜ぶことをするという意味。一方、行為を受けた人😐が、「Aという、ありがたい行為を受けた」と言い表すのが「Aしてもらう」。うれしいことなので、受けた人😐の「ありがとう」という気持ちを表す。

POINT　「迷惑なことか、ありがたいことか」が、ポイント。

　　　　〈迷惑〉　　　　　　　　　　　〈ありがたい〉

（私は）忙しいのに、Aさんに　　　　（Aさんは）忙しいのに、（私は）Aさんに
30分も話をされた。　　　　　　　　30分も話をしてもらった。

例文

① 😐：駅まで送ってあげようか。
　 😐：大丈夫。彼に頼んで、迎えに来てもらうから。
② 😐：そのバッグ、買ったの？
　 😐：お父さんに買ってもらった。
③ 😐：何、怒っているの？
　 😐：知らない間に写真撮られて、雑誌に載せられたのよ。

れんしゅう

1 絵を見て【　】のことばを使って、「Aされました」か「Aしてもらいました」、どっちかの文を作ってください。

① （なきます）
② （てつだいます）
③ （おしえます）
④ （よみます）
⑤ （よみます）
⑥ （とります）
⑦ （とります）
⑧ （つれていきます）
⑨ （つれていきます）

2 あなたが 👤 なら、どう答えますか。a、bのうち、正しいほうを選んでください。

❶ 👤：田中さんにピーマン、食べてもらったんだ。
　 👤：へー、ピーマン（　　　　　　　）。

❷ 👤：田中さんにピーマン、食べられたんだ。
　 👤：へー、ピーマン（　　　　　　　）。

a．嫌いなのね
b．好きなのね

（Qの答え：b）

37

13 自動詞　他動詞

Q さあ、大変!! 👤は、👤に借りた車で事故を起こしてしまいました。👤は👤にa、b どっちの表現で謝ればいいですか。

👤：車、今日、返してくれるんだろう？
👤：a．それが…ごめんなさい、ぶつかっちゃったんです。
　　b．それが…ごめんなさい、ぶつけちゃったんです。

「ぶつかる」と「ぶつける」は、自動詞と他動詞。では、どのように使い分けるのかを考えてみよう。

自動詞	他動詞
1「（人やモノが）どうなったか」と、そのときの状態や状態の変化を表す。自動詞を使う文では、「動作をする人が誰か」ということは問題ではない。	1「（人やモノが）何をどうしたか」ということを表す。他動詞を使う文では、「誰がその動作をしたか」も、ポイントの一つになる。
2 Qで自動詞を使うと、車の状態だけをいうことになる。「誰がしたか」がわからず、無責任な感じがする。	2 Qでは、自分に責任があると、はっきり言ったほうがいいので、「誰がしたか」を表す他動詞を使う。
3 ほとんどの自動詞は「～が＋[自動詞]」と、「が」を使う。	3 ほとんどの他動詞は「～を＋[他動詞]」と、「を」を使う。

POINT 1　何かをすすめるとき、他動詞で言うと押しつけがましく聞こえるので、自動詞を使うことがある。
　○ コーヒー、入ったから、どうぞ飲んでください。
　△ コーヒー、入れたから、どうぞ飲んでください。

POINT 2　苦情を言うとき、自動詞を使うことが多い。
　○ すみません、おつりが間違ってます。
　△ すみません、おつりを間違えてます。

例文

① 😐：あ、いけない！　電気をつけたままだった。
　 😐：私もよく忘れますよ。
② 😐：すみません。うっかりして、コップを割ってしまったんです。
　 😐：いいですよ。気にしないでください。
③ 😐：パソコン、直りましたよ。もう使えます。
　 😐：ありがとうございます。助かりました。

れんしゅう

1 自動詞か他動詞かに注意しながら、絵を見て、ことばを入れてください。

❶　ドアが_____ます　　　　　❷　ドアを_____ます

❸　ドアが_____ます 　　　　　❹　ドアを_____ます

❺　リンゴが_____ます 　　　　❻　リンゴを_____ます

2 次の（　）は、aとb、どっちがいいですか。いいほうを選んでください。

❶　昨日借りたかさ（a．をなくして　b．がなくなって）しまったんです。

❷　私の操作ミスで、データ（a．を消して　b．が消えて）しまったんです。

❸　ごはん（a．を作りました　b．ができました）よ。早く食べてください。

❹　昨日買ったこのシャツ、（a．汚して　b．汚れて）いるんですが……。

❺　電波の調子が悪いです。あ、電話（a．を切っちゃった　b．が切れちゃった）。

（Qの答え：b）

14

上手です

Q 👤はプロのピアニストです。👤は👤の教え子です。👤の演奏会のあと、👤は、aとb、どっちを言ったらいいですか。

👤：今日は、聞きに来てくれて、どうもありがとう。
👤：a. 先生、さすがですね、上手でした。
　　b. 先生、さすがですね、感動しました。

📓 「上手だ」は、人の技術について、高いと評価することば。その使い方には、いくつか注意点がある。

上手です
1 目上の人の技術を直接評価するのは失礼なこと。したがって、「上手だ」は、目上の人には使わない。また、プロの専門の技術について、プロでない人が評価することも、やめたほうがいい。親しい関係でも、相手が気分を悪くすることがある。 　　× 先生、先生は教え方が上手ですね。 **2** Qで問題になっているのは、教え子から先生に対することば。だから、「素晴らしかった」「すごかった」など、（技術の評価ではない）感動を伝えることばで感想を述べるといい。 **3** 人の技術をほめる表現「お上手ですね」は、その人の専門でない技術の場合は、目上の人にも使える。普通の「上手です」「上手でした」とは違う慣用的な言い方なので、必ず「お上手」と、「お」を付ける。 　👤（日本語の先生）：これ、私が作ったケーキです。どうぞ。 　👤（日本語の学生）：わぁ、いただきます……あ、おいしい。先生、お菓子作り、お上手ですね。 小さい子どもに対しても使う。 　👤：お嬢ちゃん、ピアノ、お上手ね。 　👤：ありがとう。

> 例文

① 👤：先生の作品展、行ってきました。どれも素晴らしくて、感動しました。
   👤：わざわざ来てくれて、ありがとう。
② 👤：〈大学の先生に対して〉わあ、先生、歌がお上手ですね。
   👤：いやいや、それほどでもないよ。
③ 👤：あの先生、話が上手で、わかりやすいね。
   👤：うん。ほかの先生とは全然違う。話す技術がある。

れんしゅう

次のほめ方がいい場合は○、悪い場合は×を（　）に書いてください。

❶ (　　　) 水泳教室で
👤：さすが先生、泳ぎ方がとてもきれいですね。流れるようです。
👤：そうですか。ありがとう。

❷ (　　　) カメラマンに
👤：さすがですね。撮り方がとてもお上手です。まねできませんよ。
👤：30年やってますからね。

❸ (　　　) 会社で
👤：部長、昨日のA社との交渉、さすがですね。とてもお上手で、感心しました。
👤：まあ、経験だよ。そのうち、君もできるようになるよ。

❹ (　　　) 近所で
👤：👤さんは歌がお上手だから、うらやましいわ。
👤：何を言ってるの。👤さんだって、お上手じゃない。

❺ (　　　) 画家の個展で
👤：この色づかい、すごいね。
👤：ほんと。どうやったら、こんな色が出せるんだろう。

(Qの答え：b)

15 知りません　わかりません

Q 明日、ここに来るのはあなたですか、それとも、ほかの人ですか。

A：明日も来るって言ってたけど、何時に来ますか。
B：知りません。

「知りません」と「わかりません」は、同じように使える場合と、使えない場合がある。整理しよう。

知りません	わかりません
1 「知りません」は「頭の中にその情報がない」という意味。情報がある場合は「知っています」と「〜ている」の形を使う。助詞は「を」。	1 「わかりません」は「私には理解できない、忘れてしまった、まだ決めていない、理解するための手段がない」というときに使う。理解できる場合は「わかります」と言い、助詞は「が」。
2 「知りません」は、自分のことには使えない。また、相手の質問に対して、「私は情報を持っていない」とはっきり"NO"と言う場合に使う。否定的な態度に思われることがあるので、注意が必要。	2 「わかりません」は、自分のことにも使える。また、相手の質問に対して「私には理解できない」と、控え目に"NO"と言う場合に使う。
3 「知っていますか」と聞かれたら、「知りません」と答えることが多い。	3 「わかりますか」と聞かれたら、「わかりません」と答えることが多い。
4 Qでは、Bの「知りません」から、明日来るのがBではない、ということがわかる。	4 Qで、もし、Bが「わかりません」と言ったら、「明日来る人」はBかもしれないし、ほかの人かもしれない。

例文

① 👤：♀さん、今度いつ、国に帰りますか。
　♀：まだ、わかりません。
② 👤：すみません、今、何時ですか。
　♀：すみません、時計を持っていないので、わかりません。
③ 👤：今の日本の首相が誰だか、知っていますか。
　♀：いやー、知りません。

れんしゅう

次の（　　）に、「わかりません」か「知りません」を入れてください。必要なら、形を変えてください。

❶ 👤：先生、この漢字の読み方が（　　　　　　　　）ので、教えてください。
　♀：いいですよ。

❷ 👤：夏休みは、どこへ行くんですか。
　♀：まだ（　　　　　　　）。

❸ 👤：ここに置いていた 10,000 円がないんだけど……。
　♀：そんなお金、私は（　　　　　　　　）。

❹ 👤：この書類、誰が作ったか、知ってる？
　♀：いえ、（　　　　　　　）。かなり古いですから、調べても、もう（　　　　　　　）
　　かもしれません。

❺ 👤：今度、海外に旅行に行くとしたら、どこに行きたい？
　♀：そうだなあ。どこか（　　　　　　　　）ところに行ってみたいなあ。

（Qの答え：ほかの人）

16 Aそうです　Aって言っていました

Q 👤は、娘の様子を👤に伝えています。aとb、どっちが正しいですか。

👤：娘さんと「嵐」のコンサートに行ったんですか。
👤：ええ。娘が大ファンなんです。
　　(a．キャーキャー言ってましたよ。)
　　(b．キャーキャーだそうですよ。)

📔 「Aそうです」と「Aって言っていました」は、人に何かを伝えるときの表現。Aの内容によって、入れ替えができる場合とできない場合がある。

Aそうです	Aって言っていました
1 「Aそうです」は、聞いたり、読んだりした事柄を伝えるときに使う。Aは「動詞・い形容詞・な形容詞・名詞」の普通体。 ○ 新聞で読んだんですが、タバコが値上がりするそうです。 2 Qの「キャーキャー」は歓声を表すことば。伝えるべき内容や意味がないので、「Aそうです」を使うことができない。	1 「Aって言っていました」は、聞いた内容や歓声などをそのまま伝えることができる。Aは「動詞・い形容詞・な形容詞・名詞」の普通体や、話した内容そのまま。 ○ 彼らが現れると、客席から「わーっ」という歓声が上がった。 2 Qの「キャーキャー」という音（歓声）も、「Aって言ってました」を使って伝えることができる。

例文

① 👤：明日の会議、何時からか、知ってる？
　👤：ええ。10時からだそうです。
② 👤：明日の会議、あるかどうか、知ってる？
　👤：田中さんは、あるって言ってました。
③ 👤：彼女、ぼくのこと、どう思ってるのかなあ。何か、聞いてる？
　👤：うん。それが……もう、会いたくないって言ってた。

れんしゅう

次の文では、aとb、どっちを使うのが自然ですか。

❶ 👤：世界経済はいつになったら、安定するんでしょうか。
　👤：この記事によると、
　　　(a．まだ当分は不安定な状態が続くって言ってました。)
　　　(b．まだ当分は不安定な状態が続くそうです。)

❷ 👤：お祭りの委員に選ばれて、田中さん、困っているんじゃない？
　👤：ええ。(a．どうしようって言ってました。)
　　　　　 (b．どうしようそうです。)

❸ 👤：あれ？　田中さんは？　もう帰っちゃったのかな？
　👤：ええ。(a．急ぐから先に帰るって言ってましたよ。)
　　　　　 (b．急ぐから先に帰るそうですよ。)

❹ 👤：👤さん、(a．結婚するって言ってましたね。)
　　　　　　　(b．結婚するそうですね。)
　👤：えっ？　誰から聞いたんですか。

(Qの答え：a)

17 それはよかったですね　それはいいですね

Q 👤は、aとbのどっちで答えればいいですか。

👤：ほっとしました。娘の就職がやっと決まったんです。
👤：おめでとうございます。それは、（a．いいですね。
　　　　　　　　　　　　　　　　　　　b．よかったですね。）

相手の報告などを聞いて、いい出来事や結果だと感じたとき、「それはよかったですね」「それはいいですね」などと言う。

それはよかったですね	それはいいですね
1 相手の話に出てくる「相手にとっていい出来事、いい経験」に対して、「自分もそれを聞いてうれしい」という気持ちを表す。 ※「それは」は省略することもある。 👤：なくした指輪が出てきたんです。 👤：それはよかったですね。 2 Qの「娘の就職」は、👤にとって、いいニュース・出来事。「よかったですね」と答えることで、いっしょに喜んでいる気持ちを表すことができる。 3 「よかった」は、心配していたことや不安がなくなったときにも、使う。 👤：財布、ありましたよ。 👤：あー、よかった。	1 相手の話に出てくる「新しいアイデアや提案」に対して、自分も同じように「いい提案だ、賛成だ」と思ったときに使う。 👤：これらの商品は、特に、若者向けに売っていこうと思っています。 👤：それはいいですね。 2 Qの「娘の就職」は実際の出来事で、提案ではない。

> 例文

① 🧑：検査の結果、がんの心配がないことがわかったよ。
　🧑：それはよかった。みんな、心配していたからね。
② 🧑：間違って注文した商品、キャンセルできたよ。
　🧑：ほんと!?　よかった。
③ 🧑：今度の休み、みんなで海に行かない？
　🧑：いいですね。行きましょう。

れんしゅう

次の（　　）のa、bのうち、正しいほうを選んでください。

❶ 🧑：合格したよ。今朝、はがきが来た。
　🧑：（a．それはよかったね　b．それはいいね）。おめでとう。

❷ 🧑：今度の会社のバス旅行、家族も連れて行けるんだって。
　🧑：（a．それはよかった　b．それはいい）ですね。じゃ、ぼくは息子を連れて行きますよ。

❸ 🧑：3日も続いていた娘の高熱が、やっと下がりました。
　🧑：（a．それはよかった　b．それはいい）。少し安心できますね。

❹ 🧑：初めて買った宝くじで、5万円当たったんです。
　🧑：（a．それはよかった　b．それはいい）ですね。ラッキーですよ。

❺ 🧑：太郎の誕生日会、おばあちゃんも呼ぼうと思うんだけど。
　🧑：（a．それはよかったね　b．それはいいね）。きっと喜ぶよ。

❻ 🧑：あった、あった。ケータイ、忘れ物センターに届いていたよ。
　🧑：（a．よかったね　b．いいね）。今から取りに行く？

(Qの答え：b)

18 AだけB　AしかBない

Q 👤にお酒を勧められた👤は、aとb、どっちで断ればいいですか。

👤：この日本酒、おいしいんですよ。一杯どうですか。
👤：あー、すみません。　a．私、ビールだけ飲むんです。
　　　　　　　　　　　　　b．私、ビールしか飲めないんです。

📓 「AだけB」と「AしかBない」は、基本的な意味は同じだが、ニュアンスが異なる。

AだけB	AしかBない
1「複数の中からAを取り上げ、AはBだ」という表現。 〇　今朝はコーヒーだけ飲んだ。 「ほかには何もなく、コーヒーを飲むことを選んだ」という意味。ポイントは「いろいろな朝食の選択肢の中から一つ、"コーヒーを飲むこと"を選んだ（取り上げた）」ということ。 **2** aの場合、「アルコールの中で選ぶのはビールだ。私が飲むのはビールなんだ」と、自分の選択を主張した言い方になる。日本酒を勧める👤の気持ちが無視され、失礼な断り方になる。 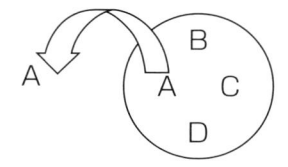	**1**「他の選択肢が否定され、残ったのがA。AのほかはBない」という表現。 〇　今朝はコーヒーしか飲まなかった。 「コーヒーは飲んだ。でも、朝食は食べられなかった」という意味。ポイントは「コーヒーのほかは全部あきらめた（打ち消した）」ということ。 **2** 日本酒を勧めているのに対して、「日本酒は飲めない」という言い方は、主張が強すぎる。一方、「アルコールは基本的にだめ。でも、ビールは飲める」というと、日本酒だけでなく、ほかのアルコールも断っているので、ソフトな印象になる。👤に対して、失礼ではなくなる。 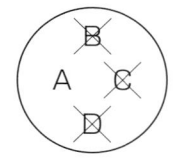

> 例文

① 🧑：申し訳ありません。こちらの商品は、もう、黒だけになりました。
　 🧑：えっ、黒しかないんですか。

② 🧑：バイキングだと、つい取りすぎて、残してしまうんです。
　 🧑：私も、です。食べられる分だけ取らないと、もったいないですね。

③ 🧑：来週お伺いしたいんですが、ご都合はいかがですか。
　 🧑：来週は会議や出張で、金曜の午後しか空いてないんですが……。

れんしゅう

次の（　）は、aとb、どっちがいいですか。いいほうを選んでください。

❶ 🧑：りんごダイエットをしたんだけど、おなかが減って、続かなかった。
　 🧑：たしか（a．りんごだけ食べる／b．りんごしか食べない）っていうダイエットでしょ？

❷ 🧑：ねえ、広東語、わかる？
　 🧑：広東語？　私、（a．北京語だけわかる。／b．北京語しかわからない。）

❸ 🧑：ここに名前を漢字で書いてください。
　 🧑：すみません、私、（a．ひらがなだけ書けるんです。／b．ひらがなしか書けないんです。）

❹ 🧑：買い物に行くけど、牛乳、買ってこようか。
　 🧑：牛乳はいいから（a．パンだけ買ってきて。／b．パンしか買ってこないで。）

❺ 🧑：給湯システムの修理に参りました。どんな具合でしょうか。
　 🧑：朝から（a．水だけ出るんです。／b．水しか出ないんです。）

❻ 🧑：銀行口座の暗証番号は、他人に言ってはいけませんよ。
　 🧑：大丈夫です。（a．私だけ知っています。／b．私しか知りません。）

(Qの答え：b)

19

Aたこと(が)ない　Aること(が)ない

Q 😀は、aとb、どっちを使えばいいですか。

😀：課長、鳩山さんからお電話がありました。
😀：a．鳩山？　聞いたことがない名前だな。
　　b．鳩山？　聞くことがない名前だな。

📓 ［Aたことない］と［Aることない］は、一字違うだけ。その違いで意味がどう変わるか、確認しよう。

Aたことない	Aることない
1 「Aたことない」は「Aをしたという経験が、今までにない」という意味。 ○ アボカドって、食べたことがないんだけど、おいしいの？	1 「Aることない」は「Aをする可能性はない」「Aをする習慣はない」「Aをする必要はない」という意味。 ○ アボカドって、あまり食べることがないなぁ。あの味がねぇ……。
2 聞いたことがない（Qの😀のa）： 「今までに聞いた経験がない」、つまり「知らない」ということ。	2 聞くことがない（Qの😀のb）： 「聞く習慣はない、可能性がない」ということ。
3 「Aたことがある」は「経験がある」という意味になる。 😀：私の国に、いらっしゃったことがありますか。 😀：ええ、行ったことありますよ。	3 「Aることがある」は、「たまにAをする」という意味にもなる。 😀：いつもお弁当ですか。 😀：いえ、外で食べることもあります。

例文

① 👤：今度の旅行、沖縄にしない？ 行ったことないんだよ。
　👤：沖縄？ 私は何回も行ったことあるから、ほかのところがいい。
② 👤：夕飯は、いつも家で食べるんですか。
　👤：そうですね。たまに外で食べることもありますけど。
③ 👤：林先生は急に連絡がとれなくなることがあるから、気をつけてね。
　👤：はい。でも、今回は心配することはないと思います。

れんしゅう

次の（　）のa、bのうち、正しいほうを選んでください。

❶ 👤：このスカート、ちょっとサイズが小さかったの。👤さん、はかない？
　👤：ありがとう。でも、私、スカートを（a．はくこと　b．はいたこと）、めったにないから、遠慮しておく。

❷ 👤：ねえ、「ワイワイ」のコンサート、行かない？ チケットがあるんだけど。
　👤：何、それ？ （a．聞くこと　b．聞いたこと）ない。日本のバンド？

❸ 👤：昨日の試合、見た？ すごい記録が出たね。
　👤：うん。あの記録は当分、（a．破られること　b．破られたこと）がないだろうね。

❹ 👤：家の前に（a．見ること　b．見たこと）ない車が止まっていて、気持ち悪い。
　👤：えー、うそー。誰か乗ってるの？

❺ 👤：お父さん、犬の世話って、大変なの？
　👤：うちは今まで動物を（a．飼うこと　b．飼ったこと）がないからなあ。どうなんだろうなあ。

❻ 👤：お酒をいただいたんだけど、うちでは（a．飲むこと　b．飲んだこと）がないから、よかったら、ご主人にどうぞ。
　👤：あら、いいんですか。これ、有名なお酒ですよ、（a．飲むこと　b．飲んだこと）ないですけど。

（Qの答え：a）

20 たのしい　うれしい

Q 👤が結婚すると聞いて、👤が聞きました。👤は、aとb、どっちで答えればいいですか。

👤：👤さん、おめでとう！　でも、びっくりしたよ。いつ、決まったの？
👤：ありがとう。実は、先週、彼からプロポーズされて……。
　　（a．たのしくて、すぐOKって返事しちゃった。）
　　（b．うれしくて、すぐOKって返事しちゃった。）

「たのしい」と「うれしい」は、感情を表す形容詞の中で、意味がよく似ている表現。どう違うのか、確認しよう。

たのしい	うれしい
1 「たのしい」は、「その場の雰囲気がとてもよく、明るく満足した気分になる」ときに使う。 ○ 楽しいパーティーだった。 ○ 学校で楽しく勉強しています。	1 「うれしい」は、「ある場面や状況になったときの喜びの感情」を表す。 ○ 就職できてうれしい。 ○ 宝くじに当たった！　うれしい!!
2 Qの👤は、彼からプロポーズされたその場の雰囲気を喜んでいるのではない。	2 Qの👤は、彼からプロポーズされたときの気持ちを表したいので、bの「うれしい」が正しい。
3 「たのしい」は、"雰囲気"以外にも、ある物（者）やある状況の性質を表すのにも使う。「それは楽しい雰囲気を持っている」という意味。 ○ あの人は楽しい人だ。 ○ 楽しい音楽を聞くと踊りたくなる。	3 「うれしい」は、話し手の感情を表すだけ。「たのしい」のように、ものの性質を表すことはできない。 × あの人はうれしい人だ。 × うれしい音楽を聞くと、踊りたくなる。 ただし、ある物（者）が、「うれしい」という感情の直接の原因になるときは、使える。 ○ うれしい知らせを受け取った。

例文

① 🧑：お孫さん、生まれたんですか。
　👤：ええ、昨日の朝。もう、うれしくて、泣いてしまいました。
② 🧑：卒業おめでとう。
　👤：先生、ありがとうございました。楽しい思い出がいっぱいできました。
③ 🧑：先生、どうしたんですか、にこにこして。
　👤：さっき教え子から、大学に合格した、っていう、うれしいメールをもらったんです。

れんしゅう

次の（　）のa、bのうち、正しいほうを選んでください。

❶🧑：昨日の飲み会、どうだった？
　👤：うん、（a．楽しかったよ　b．うれしかったよ）。でも、ちょっとお酒を飲みすぎたみたいで……。朝、ちょっと頭が痛かった。

❷🧑：大丈夫？　熱があるんだったら、今日のアルバイト、代わってあげるよ。
　👤：えっ、いいの？　そうしてくれると、（a．楽しい　b．うれしい）けど。

❸🧑：『世界が終わる日』っていう映画、見に行かない？
　👤：えーっ、そんな映画、見たくない。もっと（a．楽しい　b．うれしい）映画を見に行こうよ。

❹🧑：👤さん、ブログを始めたの？
　👤：うん。山登りの（a．楽しさ　b．うれしさ）をほかの人にも知ってほしいと思って。

❺🧑：昨日、コンサート会場の駐車場で、偶然、ABCのメンバーと会っちゃった。もう、（a．楽しくって　b．うれしくって）。
　👤：えー、うそー！　いいなあ。

(Qの答え：b)

21 Aたばかり　Aたところ

Q 👤は会社で自己紹介をしています。正しいのは、aとb、どっちですか。

👤：はじめまして、👤です。
　　a．私は半年前に、入社したところです。
　　b．私は半年前に、入社したばかりです。
　どうぞよろしくお願いいたします。

📓 「Aたばかり」と「Aたところ」は、「Aのあと、あまり時間が過ぎていない」という意味だが、その意味には少し違いがある。

Aたばかり	Aたところ
1 「Aたばかり」は「Aのあと、あまり時間が過ぎていない」と、話し手が感じたときの表現。実際の時間がどれくらい短いかは、あまり重要ではない。ポイントは「Aをしてから話をするときまでの時間が早かった」ということ。	1 「Aたところ」は「Aのすぐあと」「（ちょうど）Aしたとき・場面」という意味。「Aのあと、時間が短かった」ということを強調する表現。
2 名詞Nに続く場合、「AたばかりのN」となる。	2 「AたところのB」という形はない。
3 Qの👤が言いたいのは「入社してから今までの半年がとても早く、短かく、自分がまだ未熟だ」ということ。	3 半年前に入社（Qの👤）：この場合、「半年」は「すぐだ」と言える（時間の）長さではない。

POINT　「ところ」には、「Aたところ」のほかに「Aるところ・Aているところ」という表現もある。「Aるところ」は「Aをする直前」、「Aているところ」は「Aしている途中」ということを強調した表現。
　(1) 👤：こんにちは。
　　　👤：ちょうどよかった。今からご飯食べるところだから、一緒にどう？
　(2) 👤：おなかすいた！　ご飯まだ？
　　　👤：今、作っているところだから、ちょっと待ちなさい。
※「ばかり」は「Aたばかり」の形しかない。

例文

① 👤：10時発の特急は？
　👤：たった今、出たところです。
② 👤：手術は終わった？
　👤：ええ。今、終わったところみたいです。手術室のライトが消えましたから。
③ 👤：あの人、2年前にご主人がなくなったばかりなのに、もう結婚するの？
　👤：そうみたいよ。

れんしゅう

次の（　）は、「ばかり」と「ところ」、どっちがいいですか。
※両方よければ、両方選んでください。

❶ 👤：どうしたんですか。
　👤：この間、買った（a．ばかり　b．ところ）の服を汚しちゃったんです。

❷ 👤：ごめん、お待たせ！　ずいぶん待たせたね。
　👤：ううん、私も今、来た（a．ばかり　b．ところ）。

❸ 👤：（林）もしもし、原さん？
　👤：（原）ああ、林さん。私も今、かけようと思っていた（a．ばかり　b．ところ）。明日のことでしょ？

❹ 👤：田中さんは？
　👤：たった今、帰った（a．ばかり　b．ところ）だから、走れば間に合うよ。

❺ 👤：ジョンさん、元気なのかなあ？
　👤：2週間ぐらい前に会った（a．ばかり　b．ところ）なんだけど、そのときは元気だったよ。

(Qの答え：b)

22

Aたほうがいい　Aばいい（Aたらいい）

Q 👤の話を聞いて、👥は、どっちで答えればいいですか。

👤：あっ、雨だ。どうしよう、今日、かさ持ってこなかったよ……。
👥：a．私、もう1本持っているから、これを使ったほうがいいですよ。
　　b．私、もう1本持っているから、これを使えばいいですよ。

📓 両方とも、聞き手に助言や提案をする表現だが、どんな場面でどっちを使うか、整理しておこう。

Aたほうがいい	Aばいい（Aたらいい）
1（聞き手の今の状態や考えはよくないから）「Aすること」を強く勧める表現。 ○ 薬を飲んだほうがいいですよ。 「病気だ」と言いながら、何もしていない人に、「薬を飲まないのはだめ。飲みなさい」という気持ちで使う。	**1**「Aばいい」も「Aたらいい」も、意味は同じ。聞き手の今の状態を聞いて、「じゃ、～がいいよ」と、提案をしたり、勧めたりするときに使う。
2 これを使ったほうがいい（Qの👥のa）：かさを持っていない👤にこう言うと、「かさを使わないのはよくない、私のかさを使うべきだ」と、押し付けているようになる。	**2** これを使えばいい（Qの👥のb）：かさを持っていない👤に、「👤が望むなら、👥のかさを使うように」と、提案することになるので、bが正しい。

POINT どっちも使える場面もあるが、ニュアンスが違う。

👤：私のパソコン、もう古いんです。
👥：もし、パソコンを買うなら、
　　a．田中さんに聞いたほうがいいですよ。詳しいですから。
　　b．田中さんに聞けばいいですよ。詳しいですから。

aには「田中さんに聞くべきだ」という気持ちがあるので、押し付けている感じがある。bは単に自分の考えを提案しているだけで、aに比べると、ソフト。

> **例文**

① 🧑: あ、しまった。はし、持ってくるの忘れた！
　 🧑: ここに割りばしがあるから、これを使えばいいよ。
② 🧑: さあ、もっと飲もう！
　 🧑: お医者さんに止められているんでしょ？　もうやめたほうがいいよ。
③ 🧑: 私、一人暮らしする。
　 🧑: こんなに言ってもわからないなら、勝手にすれば！

れんしゅう

絵を見て、「Ａたほうがいい」「Ａばいい」のどっちか正しいほうを使って、答えてください。
※両方使える場合は、両方で答えてください。

①　くらいから　でんきを①
②　しゅくだいは　あした②
③　39.0℃　③
④　ヤサイはキライ！　そんなこといわないで④
⑤　さいふをおとしちゃった　KŌBAN　すぐ⑤
⑥　つかれた〜　TAXIのりば⑥

（Qの答え：b）

23 AたままB　AてB

Q 👤と👥は、京都の有名な寺を見学しています。先生が次のように言いました。今、もうすでに靴を脱いでいるのは、👤ですか、👥ですか。

先生：この部屋は土足禁止です。
　　　👤さん、靴を脱いだまま、入ってください。
　　　👥さん、靴を脱いで、入ってください。

「AたままB」と「AてB」では、Bをするときの A の状態が異なる。

AたままB	AてB
1 「AたままB」は「Aの状態を変えないでBをする」という意味。「そのままBする」という場面（同じ状態を続ける場面）で使う。	1 「AてB」は、「Aをして、そのAの状態でBをする」という意味。つまり、「Aが終わった。それから、その状態でBする」という場面で使う。
2 靴を脱いだまま、入ってください（Qの先生）：「靴を脱いだ状態を変えないで入ってください」という意味。つまり、👤は今、靴を脱いでいる状態。	2 靴を脱いで、入ってください（Qの先生）：「まず靴を脱ぐ。それから、脱いだ状態で入る」という意味。つまり、👥は今、靴を履いている状態。

POINT　「AたままB」は、「普通ならAの状態でBしないのに、Bしてしまった」という場面でよく使う。

👤：昨日はすごく酔って、スーツを着たまま、寝てしまったんだ。
👥：えっ、そうなんですか!?　ぼくは、ちゃんとお風呂に入って、パジャマを着て寝ましたよ。

👤は「酔って、（着替えないで）スーツで寝た」という失敗の話をしているので、「着たまま〜」を使っている。👥は、（ちゃんと着替えて）パジャマで寝たので、「着て〜」を使っている。

> **例文**

① 👤：昨日、電気をつけたまま、寝てしまったんです。
　 👤：それじゃ、よく寝(ら)れなかったんじゃないですか。
② 👤：〈放送〉ただ今、この飛行機は、着陸いたしました。ベルトを締めたまま、座ってお待ちください。
　 👤：ふー、やっと着いたね。
③ 👤：座ったままとか、帽子をかぶったままで挨拶をするのは、失礼です。
　 👤：わかりました。ちゃんと帽子を脱いで、立って挨拶をします。

れんしゅう

1 次の（　）は、「〜たまま」と「〜て」、どっちのほうがいいですか。

❶ 私はいつも、電車に（a．乗って　b．乗ったまま）、本を読むんです。
❷ これからレントゲン写真をとりますので、服を着ている人は（a．着て　b．着たまま）、6番の部屋に入ってください。
❸ どうしたの!?　服がビショビショじゃない！（a．ぬれて　b．ぬれたまま）着ていると風邪引くよ。
❹ このコンタクトレンズなら、（a．つけて　b．つけたまま）寝られます。
❺ 最近、目が悪くなって、めがねを（a．かけて　b．かけたまま）運転しているんです。
❻ そんなに大きいかばんを（a．持って　b．持ったまま）出かけるの？

2 次の絵を見て、「AたままBてはいけません」の文を作ってください。

(Qの答え：👤)

24 AためにB　AのにB

Q 😀は、aとb、どっちを使えばいいですか。

😀：ずいぶん、スマートになりましたね。
😀：まだまだです。あと5キロやせる（a．ために／b．のに）毎日、走っているんですよ。

「AためにB」と「AのにB」のAは、目的を表すが、Bの違いで使い方が異なる。

AためにB	AのにB
1 「AためにB」のBは「Aという目的を達成したいと思って、すること」。つまり、「BをすることによってAが可能になる」ということ。 ○ 海外旅行に行くために、パスポートをとった。 ○ 息子を大学へ行かせるために、一生懸命働いています。	1 「AのにB」のAは目的で、Bは「Aを達成したいと思ってすること」。Aの評価を表すこともある。 ○ このかばんは、旅行に持って行くのに買った。（A＝目的の場合） ○ このかばんは、旅行に持って行くのにちょうどいい。（B＝評価の場合） 「Aのに▲を使う」の形の場合、Aは「▲（道具や手段）の使用目的」を表す。 ○ 空港へ行くのに、バスを使う。
2 Qで、😀は「あと5キロやせる」という目的で「毎日走っている」と言っている。「走ることで、やせるという目的に近づく」ので、aが正しい。	2 Qの「あと5キロやせる」ことは、「走る」ことの使用目的ではない。 ○ 5キロやせるのに、この機械を使う。 これなら、機械を使って5キロやせるということになり、「AのにB」が使える。

POINT　「AためにB」の場合、Aを「[名詞]の」にすると名詞が使えるが、「AのにB」の場合、動詞しか使えない。
　　　　○ 仕事のために／仕事をするために
　　　　○ 仕事のに̶／仕事をするのに

> 例文

① 🧑：この包丁、変わった形ですね。何に使うんですか。
　 🧑：ああ、それは冷凍した魚や肉を切るのに使うんです。
② 🧑：この活動を続けるために募金をしているんだけど、手伝ってくれない？
　 🧑：うん、わかった。で、何をすればいい？
③ 🧑：あれ？　ここに置いていた箱、知りませんか。
　 🧑：ああ、あれはさっき、田中さんが荷物を送るのに使ってました。

れんしゅう

次の（　）のa、bのうち、正しいほうを選んでください。

❶ 🧑：「サスベー」って、何ですか。聞いたことありますか。
　 🧑：ああ、自転車にかさを付けるものですよ。雨の日に自転車に乗る（a．のに　b．ために）便利だそうです。

❷ 🧑：地球環境を守る（a．のに　b．ために）私たちにできることは何ですか。
　 🧑：まず、電気やガス、水道をむだに使わないことです。

❸ 🧑：この辞書、字が小さすぎるから、私は要らないんだけど、使わない？
　 🧑：海外旅行に行く（a．のに　b．ために）いいかもしれない。ちょうだい。

❹ 🧑：おいしい和菓子を買う（a．のに　b．ために）京都まで行ったんですが、お店が休みだったんです。ショックでした。
　 🧑：それは残念でしたね。

❺ 🧑：また、医者から太りすぎって言われた。このおなかの肉をとる（a．のに　b．ために）毎日、運動してるんだけどね。
　 🧑：私も2キロやせる（a．のに　b．ために）3カ月かかったから……。がんばって！

❻ 🧑：このお皿、きれいだと思わない？
　 🧑：そうね。ケーキとかをのせる（a．のに　b．ために）ぴったりね。

（Qの答え：a）

25

AためにB　AようにB

Q 👤と👤、どっちの言い方が正しいですか。

👤：このあいだ、海外に行くためにパスポートを取りました。
👤：私も、海外に行けるようにパスポートを取りました。

📔「AためにB」と「AようにB」は、「Aという目的に向かってすることがB」という意味。ここでは特に、Bに注目してみよう。

AためにB	AようにB
1「AためにB」は、「Aを達成する目的でBをする」という意味。Aは動詞の辞書形で、AとBの動作主（主語）は同じ。	**1**「AようにB」のAが動詞の可能の形の場合、「Aが達成できることを目的に、（頑張って）特別なBをする」という意味になる。
2海外に行くために〜（Qの👤）：「海外に行くことを目的に（パスポートを取った）」ということ。	**2**行けるように（Qの👤）：「パスポートを取る」ことは、頑張ってする「特別なこと」ではないので、Qの「行けるように」は使えない。 ○海外に行けるように、外国語を勉強しています。 ○海外に行けるように、毎月少しずつ貯金しています。
3Aが名詞のときは、「Aのために」の形になる。	**3**Aが「見える・聞こえる・わかる」など、能力を表す動詞や自動詞のときにも使う。
	4「AようにB」のAとBの動作主は、同じでも、同じでなくてもいい。

POINT　Aが動詞のない形の場合、「AないようにB」をよく使う。「AないためにB」は、あまり使わない。

例文

① 👤：私も👤さんみたいに日本語が上手に話せるように、もっと会話の練習をするわ。
　👤：ぼくもテレビのニュースが理解できるように頑張るよ。

② 👤：地震のとき、あわてないために何か準備している？　日本って、地震が多いんでしょ？
　👤：うん。ぼくはすぐ逃げられるように、大事なものを一つのかばんにまとめているよ。

③ 👤：あの行列は何？
　👤：ああ、あれはチケットを買うために並んでいるんだよ。

れんしゅう

次の（　　）のa、bのうち、正しいほうを選んでください。

❶ 👤：この写真、どうしたんですか。
　👤：みんなに（a．見せるために　b．見せられるように）持ってきたんです。

❷〈神社で〉
　👤：何を祈ったんですか。
　👤：昨日買った（a．宝くじが当たるために　b．宝くじが当たるように）祈りました。

❸ 👤：毎晩、ごはんを作るのって、面倒ですよね。
　👤：ええ。だから私は、家に帰ったらすぐ（a．食べるために　b．食べられるように）、朝、晩ごはんの用意もして、それから出かけるんです。

❹ 👤：クリスマスプレゼントを買ったら、子どもたちに（a．わからないために　b．わからないように）隠しておいてね。
　👤：わかってるよ。

❺ 👤：こんなにたくさん、食べられないよ。
　👤：子どもたちに（a．食べさせる　b．食べられる）ために作ったんだから。あなたの（a．ため　b．よう）に作ったんじゃない。

(Qの答え：👤)

26

Aつもり

Q 👤は、部長の明日の予定を丁寧に尋ねます。aとb、どっちを使えばいいですか。

👤：a．部長、明日はどうなさるおつもりですか。
　　b．部長、明日はどうなさいますか。

予定を述べる「Aつもり」について、主なポイントを整理しよう。

Aつもり

1「つもり」は、話し手の心の中の予定を表現するときのことば。
　○ 夏休みはマレーシアへ行くつもりなんです。

そのため、「つもり」を使って質問すると、「(相手の)心の中を見せてくれ」とストレートに聞く感じになり、相手を不快にさせることもある（※ 特に目上の人には、使ってはいけない）。「～ますか」で聞き、「～つもりです」で答えるのがいい。

　👤：○ 車を買うんですか。　× 車を買うつもりですか。
　👤：うん、ボーナスが出たら、買うつもりなんだ。

「つもり」を使って質問するのは、相手の心の中を確認するようなとき。この場合、相手の態度や考え方を批判したり責めたりするニュアンスを持つ。
　○ 私がこんなにやめろと言っているのに、あなたは、まだするつもりなの？

2「つもり」の否定の形は、「Aないつもりだ」と「Aつもりはない」の2つ。「Aつもりはない」のほうが、強くはっきり否定しているニュアンスがあり、強い否定の意志を表す。

　👤：もう、お酒は飲まないで。
　👤：あんな事故を起こしてしまったからね。もう二度と飲むつもりはないよ。
　👤：今晩、お酒飲むの？
　👤：お酒ですか。飲まないつもりです。

3「つもり」を使って、「本当はAではないが、Aと思ってBする」という意味を表すことができる。「AたつもりでB」「AになったつもりでB」などの形が多い。
　○ お金がないから、旅行雑誌を見て、行ったつもりで満足しています。
　○ お客さんになったつもりで、店の中をチェックしてください。

例文

① 🧑：今晩、映画見に行かない？
　👤：ごめん、昨日の夜、遅かったから、今日は早く帰るつもりなの。
② 🧑：こんなに間違いだらけのレポートを提出するつもり？
　👤：いや、書き直すつもりだけど……。
③ 🧑：息子さん、来年、大学卒業ですね。就職なさるんですか。
　👤：いえ、就職するつもりはないみたいです。大学院に行くつもりじゃないかなあ。

れんしゅう

次の（　　）は、aとb、どっちのほうがいいですか。いいほうを選んでください。

❶ 🧑：あら、お出かけ？（a．どこへ行くんですか　b．どこへ行くつもりなんですか）。
　👤：ちょっと銀行まで。

❷ 🧑：今晩、カラオケに行くの？
　👤：風邪がまだよく治っていないから、今日は（a．行かないつもり　b．行くつもりはない）です。

❸ 🧑：田中さんって、独身？
　👤：田中さん？　そうだよ。でも、来年、結婚する（a．つもりだよ　b．つもりらしいよ）。

❹ 🧑：お母さん、夏休み、ハワイに行きたい。
　👤：そんなお金、ありません。どこかきれいな海に行くから、ハワイに（a．行ったつもり　b．行くつもり）になって。

❺ 🧑：社長、またABC電気の部長が来ていますが、（a．お会いになりますか　b．お会いになるおつもりですか）。
　👤：また!?　何度来られても、（a．会うつもりはない　b．会わないつもりだ）。帰ってもらってくれ。

(Qの答え：b)

65

27 Aつもりだ　Aようと思う

Q 田中さんの質問に、👤と👤が答えました。どっちの言い方が正しいですか。

田中：もし、宝くじで１億円当たったら、パーッと使いたいな。みんななら、どうする？
👤：私は、将来のために貯金しようと思う。
👤：私は、マンションを買うつもり。

「Aつもりだ」と「Aようと思う」は、話し手の未来の予定について述べる表現。その使い方の違いを見てみよう。

Aつもりだ	Aようと思う
1 「Aつもりだ」は、「話し手の心の中の計画や予定」を述べる表現。計画し予定していることなので、現実的ではない仮定の「もし～」には使えない。 × もし、私が総理大臣になったら、税金をなくすつもりです。	1 「Aよう」は「話し手の意向」を表す動詞の形。これに「と思う」を付けた「ようと思う」は、「将来のあることについての話し手の気持ちや希望」を表す。想像や現実的でない仮定にも使える。 ○ もし、私が総理大臣になったら、すべての美術館を無料にしようと思う。
2 Qの田中さんは、現実的ではない仮定の「もし～」で聞いているので、「マンションを買いたい」「マンションを買おうと思う」などを使わなければならない。	2 Qの田中さんの「もし～」の話に対して、👤は「宝くじにあたったら貯金しよう」と考え、そのまま言っただけ。

POINT　「Aつもりだった」と「Aようと思っていた」は、「Aの予定だったが、実際はAではなかった」ときに使う。
　　○ おみやげを買うつもりだったけど、時間がなくて買えなかった。
　　○ おみやげを買おうと思ったけど、時間がなくて買えなかった。

否定の形は「Aないつもりだ」と「Aようと（は）思わない」。
　　○ あの大学には行かないつもりだ。
　　○ その大学には行こうと（は）思わない。

例文

① 👤：将来は何がしたいですか。
　👤：将来ですか。まだわかりませんけど、日本にずっと住もうと思っています。
② 👤：将来の予定は？
　👤：10年後には家を買うつもりなので、頑張って貯金をしています。
③ 👤：お正月は、どこにも行かないつもりだから、遊びに来て。
　👤：ありがとう。でも、温泉にでも行こうと思っているのよ。

れんしゅう

次の（　　）のa、bのうち、正しいほうを選んでください。

❶ 👤：👤さんもスキーに行くの？
　👤：いえ。（a．行きたい　b．行くつもり）ですが、お金がなくて……。

❷ 👤：朝ご飯、食べてきた？
　👤：いや、（a．食べるつもりだった　b．食べるつもりだ）けど、寝坊しちゃって……。

❸ 👤：👤さんは、ほんとに野球が上手ですね。プロになれるんじゃないですか。
　👤：無理だよ。あと10歳若ければ、プロを（a．めざすつもりだ　b．めざそうと思う）けど……。

❹ 👤：親たちは、子どもをいい大学に（a．行かせるつもりで　b．行かせようと思って）必死ですね。
　👤：ええ。子どもたちも大変です。

（Qの答え：👤）

28 AでBて行く　AへBに行く

Q ハンバーガーを食べたあと、どこかへ行く予定があるのは、aとb、どっちですか。

- 👤：おなかすいたね。食事どうする？
- 👤：a．Mバーガーで食べて行こうよ。
　　　b．Mバーガーへ食べに行こうよ。

📓 「AでBて行く」と「AへBに行く」、それぞれの意味の違いとともに、助詞（[場所]で、[場所]へ/に）の違いにも注意しよう。

AでBて行く	AへBに行く
1 「AでBて行く」は、まず「AでBする。それから行く」という意味。どこへ行くかは、この文だけでは、わからない。	1 「AへBに行く」は、「Aへ行く。その目的はB」という意味。つまり、行く場所はAということ。
2 食べて行こう（Qの👤のa）：「食べて、それから行こう」という意味なので、食べたあと、どこかへ行く予定がある。	2 食べに行こう（Qの👤のb）：「Mバーガーへ食べに行こう」は、「Mバーガーが目的地で、そこで食べる」という意味。
（図：A〇Bする、矢印が通り抜ける）	（図：A〇Bする、矢印がAへ向かう）
	3 「Aへ」の「へ」は、「に」でもよい。

例文

① 🧑：日曜日はどこへ行ったんですか。
　 👤：京都へ桜を見に行きました。
② 🧑：えっ？　警察？　何をしに行くんですか。
　 👤：落とした財布が見つかったって、電話があったんです。
③ 🧑：ごめん、銀行でお金をおろして行くから、先に学校へ行ってて。
　 👤：あっ、そう。じゃ、先に行くね。

れんしゅう

絵を見て、「AでBて行く」か「AへBに行く」の文を作ってください。
※Aの場所は、（　　）のことばを使ってください。

① （コンビニ）

② （コンビニ）

③ （ゆうびんきょく）

④ （ぎんこう）

⑤ （北海道）

⑥ （うち）

（Qの答え：a）

29 Aてもらいませんか　Aてもらえませんか

Q 👤はとなりの部屋の人に、留守中に届いた荷物を預かってほしい、と頼んでいます。aとb、どっちが正しいですか。

👤：明日から留守にするので、宅配便が来たら、
　　(a．預かってもらいませんか。
　　 b．預かってもらえませんか。)
👤：ええ、いいですよ。

📓「Aてもらいませんか」と「Aてもらえませんか」は1字の違いだが、使い方は大きく異なる。

Aてもらいませんか	Aてもらえませんか
1 聞き手に対して、「だれかほかの人に"Aてもらう"こと」を提案したり勧めたりする表現。	1 主に、聞き手に「Aてもらう」ことを依頼するときの表現。「私はあなたに、Aてもらうことができますか」という意味。
👤：皆さん、田中さんに代表になってもらいませんか。 👤：いいですね。賛成!!	👤：田中さん、代表になってもらえませんか。 👤：わかりました。引き受けましょう。
2 Qの👤は、誰かほかの人に頼んでいるのではなく、👤に直接頼んでいるので、aは間違い。	2 Qの👤は👤に直接、「預かってほしい」と頼んでいるので、bが正しい。
3「提案に賛成かどうか」を尋ねるのが、ポイント。	3「可能かどうか」を尋ねるのが、ポイント。聞き手以外に頼む例もある。 👤：代表、森さんにやってもらえませんか。 👤：うーん。無理だと思いますよ。

POINT　「Aますか」は、相手に「はい・いいえ」の返事を求める表現だが、たいていの場合、相手が断らないことを前提にしている。一方、「Aませんか」は、相手が「いいえ」と言うかもしれない、という前提で尋ねる表現。「Aますか」より丁寧な聞き方。

▶ 例文

① 👤：もう少し、待ってもらえませんか。
　 👤：ええ、わかりました。でも、あと10分ですよ。
② 👤：明日、必ず返すので、5万円ほど貸してもらえませんか。
　 👤：明日返してくれるんですね。だったら、いいですよ。
③ 👤：こんなにたくさんの仕事、私たちだけでするのは無理だから、みんなにも手伝ってもらいませんか。
　 👤：そうですね。お願いしてみましょう。

れんしゅう

次の文は、「Aてもらいませんか」と「Aてもらえませんか」のどっちがいいですか。a、bのうち、正しいほうを選んでください。

❶ 👤：どうしたの？
　 👤：かさを忘れちゃって……。もう1本あったら、貸して（a．もらわ　b．もらえ）ない？

❷ 👤：先生、できました。
　 👤：きれいにできましたね。・・・そうだ！　受付に飾って、皆さんにも見て（a．もらい　b．もらえ）ませんか？　そうしましょう。

❸ 👤：あの人の名前、漢字でどう書くのかなあ……。
　 👤：知らないなあ。本人に書いて（a．もらい　b．もらえ）ませんか。

❹ 👤：この地図、よくわからないですね。
　 👤：じゃ、あの交番で教えて（a．もらい　b．もらえ）ませんか。

❺ 👤：明日、ここに来て（a．もらい　b．もらえ）ませんか。
　 👤：明日はちょっと……。来週にして（a．もらい　b．もらえ）ませんか。

(Qの答え：b)

30 Aている　Aてある

Q 出かけようと部屋を出てきた人に、人が聞きました。人は、どっちで答えればいいですか。

　人：あっ、部屋の窓、閉めないんですか。
　人：a．ええ、すぐ帰るから、開けてあるんです。
　　　b．ええ、すぐ帰るから、開いているんです。

「Aている」と「Aてある」は状態を表すが、使う場面が異なる。

Aている	Aてある
1 「［人・もの］がAている」は、「Aということが起こったあとの［人・もの］の状態（結果の状態）」を表す。Aは自動詞。 ○テレビが壊れている	1 「［人・もの］がAてある」は、「誰かが目的を持ってAという動作をしたあとの［人・もの］の状態」を表す。Aは他動詞。悪意がある場合以外、Aには、よくないものは来ない。 ○テレビが壊してある（×）
2 Qの「開いている」は、窓の状態について述べた表現。人の「閉めないんですか」という質問に対する答えにも、「すぐ帰るから」という理由の根拠にもなっていない。	2 Qでは、「窓を閉めないのか」聞いた人に、人が「私は窓を開けた。今はその状態だ」と答えている。つまり、すぐ帰るから、目的を持って「開けてある」ということ。

例文

① 人：ズボンに泥がついているよ。
　　人：あ、ほんとだ。汚れてる。

② 人：パソコン、消さないの？　電源ついているよ。
　　人：つけてあるのよ。まだ仕事するから。

③ 人：さすが、日本料理ね。きれいに材料が切ってあるわ。
　　人：あれ？　このきゅうり、切れていないよ。

れんしゅう

1 家にお客さんが来ます。👤は、準備ができたか、チェックをして、👤に話しています。
「Aている」か「Aてある」を使って、文を作ってください。

> よういはできた?
> ごみばこの ごみはすてて（①）?
> まどが、あいて（②）よ。
> おはしと おさらと コップは ならべて（③）?
> エアコンは、ついて（④）?
> あれ? あのはなは、ちょっとかれて（⑤）よ。
> あそこに ごみが おちて（⑥）よ。
> テーブルが よごれて（⑦）よ。

「ほんとだ」

2 （　　）に、「いる」か「ある」を適当な形にして、入れてください。

❶ 👤：あっ、卵が割れて（　　　　）。
　 👤：うそ！ その卵、高いのに……。

❷ 👤：見て、きれいな花が飾って（　　　　）。
　 👤：ほんとだ！ でも、1本折れて（　　　　）よ。

❸ 👤：何か、ガスの匂い、しない?
　 👤：あっ、レンジの火が消えて（　　　　）！

❹ 👤：ワインは買わなくていいですよ。もう買って（　　　　）から。
　 👤：わかりました。

(Qの答え：a)

31 Aてください　Aようにしてください

Q 👤が👤にケーキを勧めています。aとb、どっちが正しい言い方ですか。

👤：あのう、これ、私が焼いたケーキなんです。
　　（ a．どうぞ、食べてください。
　　　 b．どうぞ、食べるようにしてください。 ）
👤：ありがとうございます。じゃ、いただきます。

「Aてください」と「Aようにしてください」は、聞き手に何かを頼んだり、勧めたりする表現ですが、どう違うのだろう。

Aてください	Aようにしてください
1「Aてください」は、聞き手に「Aという動作・行為をする（しない）こと」を頼んだり、勧めたりする表現。「Aてくれ」の丁寧な言い方。もっと丁寧な言い方に「Aてくださいませんか」「Aていただけませんか」などがある。 ○ お～い、ちょっと待ってくれ。 ○ それ、見せてくださいませんか。 ○ 話を聞いていただけませんか。 2 Qの👤は👤に、「ここにあるケーキを食べること」を勧めている。	1「Aようにしてください」は、何かの目的のために、聞き手に「Aという動作・行為を命令したり、努力を求めたりする」表現。 ○ 健康のために、毎日、歩くようにしてください。 2 Qの👤は、単に「食べる」ことだけを求めているので、bは間違い。「どのように食べるか」を言えば、使えるようになる。 ○ 早めに食べるようにしてください。 3 目の前のことについて、動作だけを求めるときは使いにくいが、「どのようにするか」があれば、使える。 × 重い箱は運ぶようにしてください。 ○ 重い箱は2人で運ぶようにしてください。

例文

① 👤：👤さん、この中国語が正しいかどうか、ちょっと見てください。
　👤：わかりました。ちょっと待ってください。
② 👤：自転車は、決められた場所に置くようにしてください。
　👤：すみません、すぐ、どかします。
③〈電車やバスで〉危険ですから、窓から手や顔を出さないようにしてください。

れんしゅう

次のaとbは、どっちが正しいですか。正しいほうを選んでください。
※両方使える場合は、両方選んでください。

❶ 👤：皆さん、ちょっと（a．聞いて　b．聞くようにして）ください。
　👤：はーい。
　👤：今から大事なことを話しますから、よく（a．聞いて　b．聞くようにして）ください。

❷ 👤：うるさいなあ。ちょっと（a．静かに　b．静かにするように）してください。
　👤：すみません。

❸ 👤：明日は、朝9時に（a．集合して　b．集合するようにして）ください。
　👤：遅れたら、どうなりますか。
　👤：遅れた人は（a．一人で来て　b．一人で来るようにして）ください。

❹ 👤：私がいない間、ベランダの植物に水あげておいてね、2日に1回。いい？
　　　（a．忘れないで　b．忘れないように）ね。
　👤：わかったけど、それ、メモに（a．書いておいて　b．書いておくようにして）。

❺ 👤：今から出発します。旅行中、けがを（a．しないで　b．しないようにして）くださいよ。
　👤：はい、注意します。

（Qの答え：a）

32

Aてもいいですか？──いいえ……

Q 映画館で、👤は、知らない👤に声をかけられました。👤は、aとb、どっちで答えればいいですか。

　👤：ここ、座ってもいいですか。
　👤：a．すみません、座らないでください。友達が来るので……。
　　　b．すみません、ちょっと……。友達が来るので……。

📓「～てもいいですか？」に対する断りや禁止などの表現を、その理由によって、まとめてみよう。

	言い方	「私が～だから……」という個人的な理由	規則などの客観的な理由
親しい人	弱く	ごめん、ちょっと……。	（うーん）それは、ちょっと……。
親しい人	強く	だめ！　～ないで！	～ちゃだめ！
親しくない人	弱く	すみません、ちょっと……。	すみません、ご遠慮ください。
親しくない人	強く	いえ、～ないでください。やめてください！	いえ、～ないでください。（～ては）いけません。

POINT　Qの👤と👤は親しくない。また、👤が断る理由は、「誰か友達が座るから」「座ってほしくないから」など、個人的なものなので、bの「すみません、ちょっと……」が適当。「座らないでください」と言うと強すぎて、怒っているように感じられる。

例文

①👤：この本、コピーしてもいいですか。
　👤：すみません、ご遠慮ください。

②👤：お母さん、知らない人がお菓子くれたんだけど、食べてもいい？
　👤：知らない人が⁉　食べちゃだめよ！　捨てなさい！

③👤：次のごみの日まで、ここにごみを置いてもいいかなあ。
　👤：そこにですか？　それは、ちょっと……。

れんしゅう

左ページの表の「断りや禁止などの表現」の中から、最も適当なものを選んでください。

(Qの答え：b)

33

Aてもらう　Aてくれる　Aてあげる

Q 👤と👥は、田中さんの話をしています。👥は、aとb、どっちで答えればいいですか。

👤：田中さんって、親切な人だと思いませんか。
👥：そう、そう。彼はよく、（ a．私の仕事を ／ b．私に仕事を ）手伝ってくれるんです。

📓 「誰かが誰かのためにする行為」を表した表現に、「Aてもらう」「Aてあげる」「Aてくれる」がある。行為の方向や助詞に注意して、ポイントを整理しよう。

1 助詞の使い方を整理しよう。
「Aてあげる」と「Aてくれる」は、元の文に「〜てあげる」「〜てくれる」を付けるだけで、助詞は変わらない。
- 彼は私に英語を教える　→　彼は私に英語を教え てくれる
- 母は私の髪を切る　→　母は私の髪を切っ てくれる
- ぼくは彼女に指輪を買う　→　ぼくは彼女に指輪を買っ てあげる
- 彼は彼女の荷物を持つ　→　彼は彼女の荷物を持っ てあげる

2 Qで、元の文は「彼は私の仕事を手伝う」だから、それに「〜てくれる」を付けて、「私の仕事を手伝ってくれる」と言えばよい。したがって、aが正しい。

3 「Aてもらう」は、行為を受ける人を主語にした表現で、次の2通りある。
「行為を受ける人」＝P、（Pの）行為や物＝Q

1）「PのQをAする」の形：

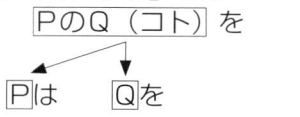

　　　PのQ（コト）を　　　　👤は👥の仕事を手伝う。
　　　　↓　　↓
　　　Pは　Qを　　　　　　　👥は👤に仕事を手伝ってもらう。

　　　PのQ（モノ）を　　　　👤は👥の荷物を持つ。
　　　　↓　　↓
　　　Pは　Qを　　　　　　　👥は👤に荷物を持ってもらう。

2）「PにAする」の形：

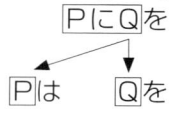

　　　PにQを　　　　　　　　👤は👥に日本語を教える
　　　　↓　　↓
　　　Pは　Qを　　　　　　　👥は👤に日本語を教えてもらう

例文

① 👤：そのバッグ、いいね。どこで買ったの？
　👤：いいでしょう？　お母さんがパリで買ってきてくれたの。
② 👤：あれ？　今日、掃除当番？
　👤：いえ。田中さんが用事があるって言うから、代わってあげたんです。
③ 👤：あれ？　今日、掃除当番じゃないの？
　👤：ええ。でも、用事があるので、代わってもらったんです。

れんしゅう

次の（　）に、「あげる・くれる・もらう」のどれかを、形を変えて入れてください。

❶ 👤：あっ、雨……。どうしよう、かさ、忘れちゃった。
　👤：私、２本持ってるから、１本貸して（　　　　　）よ。

❷ 👤：このリンゴ、お母さんから？
　👤：ええ。母はいつも、私の好きな食べ物を送って（　　　　　）んです。

❸ 👤：たしか、この辺なんだけど……。あれ？　迷ったのかなあ？
　👤：あそこに人がいるから、教えて（　　　　　）ませんか。

❹ 👤：授業料は、自分で払っているんですか。
　👤：いいえ、親に出して（　　　　　）います。

❺ 👤：カメラ、持ってきたんです。１枚、撮って（　　　　　）よ。
　👤：えっ、いいんですか。じゃ、お願いします。

❻ 👤：👤さんが、尊敬している人は誰ですか。
　👤：私を育てて（　　　　　）両親です。

❼ 👤：田中さんはいつも、うちの子供におみやげを買ってきて（　　　　　）ね。今度、旅行に行ったら、何か買ってきて（　　　　　）ようか。
　👤：そうね。いつも買って（　　　　　）ばかりじゃ、悪いから。

（Qの答え：a）

79

34 AときB　AたらB

Q 👤は👤に説明します。aとb、どっちが正しい言い方ですか。

👤：新しいコピー機の使い方を教えてください。
👤：まず、スイッチを入れて、
　　　a．このランプがついたら、枚数のボタンを押します。
　　　b．このランプがついたとき、枚数のボタンを押します。

📓 ちょっとした違いに注意──「AときB」のAとBは"同じ時"、「AたらB」のAとBは"A、Bの順"。

AときB	AたらB
1「AときB」は、「Bはいつだ」ということをAで表す表現。 👤：このランプは、いつ、つくんですか。 👤：お湯がわいたときです。 2 Qのbの「このランプがついたとき、枚数のボタンを押す」は、「枚数を押すのがいつか」を述べる文。使い方を説明しているのではない。	1「AたらB」は、「Aをした次にB」と、手順を表す表現。 👤：おつりが出ませんね。 👤：その赤いボタンを押したら、出ますよ。 2 Qの👤は、コピー機の使い方を聞いているので、👤は手順を説明しなければならない。 手順［ランプがつく→次に枚数のボタンを押す］を示しているaが正しい。

例文

① 👤：・・・で、👤さんがその話を知ったのは？
　👤：はい、東京に出張したときです。本社で聞きました。
② 👤：野菜が柔らかくなったら、一度火を止めて、しばらく、そのままにしておいてください。
　👤：わかりました。次に、どうするんですか。
③ 👤：この写真、いつ撮ったの？
　👤：京都へ行ったとき。着物をレンタルできるところがあったの。

れんしゅう

次の（　）のa、bは、どっちがいいですか。

❶ 玄関のベルが（a．鳴ったとき　b．鳴ったら）、この画面を見て、まず、誰が来たのかを確認してください。

❷ 彼の顔を（a．見たとき　b．見たら）、犯人じゃないかと、すぐに思いました。

❸ では、耳の検査を始めますね。音が（a．聞こえたとき　b．聞こえたら）、このボタンを押してください。

❹ 東京駅に（a．着いたとき　b．着いたら）、大阪より寒いと思いました。

❺ 答案用紙に名前を（a．書いたとき　b．書いたら）、合図があるまで待っていてください。

❻ 👤：いつ、財布がないのに気がついたんですか。
　👤：切符を（a．買おうとしたとき　b．買おうとしたら）です。

（Qの答え：a）

35 AときB　AたらBた

Q 👤の表現は、aとb、どっちが正しいですか。

👤：びっくりしたよ。友達にもらった誕生日プレゼントを
（ a．開けたとき、何も入っていなかったんだ。）
（ b．開けたら、何も入っていなかったんだ。）

👤：えーっ！　それって、包むとき、入れ忘れたってこと？

📓 「AときB」と「AたらBた」は、よく間違いが見られる表現。どんな場面でどっちを使うのか、確認しよう。

AときB	AたらBた
1 「Bが起こる（起こった）のは、いつ？ それはAの時点だ」という意味。つまり「Aとき」は「いつであるか」を表す。	1 「AたらBた」のBには、「Aが原因・きっかけとなった新しいこと」が来る。そのため、「AたらBた」は「AをするまでBに気づかなかった。Aをして初めてBがわかった」という意味で使われることが多い。
2 包むとき、入れ忘れた（Qの👤）：「いつ入れ忘れた？――包むときだ」ということを述べた表現。	2 Qの👤は、開けるまで「何もないことに気づかなかった」。そして、「開けて初めて、わかった」のだから、bが正しい。
3 「ない」ということがすでにわかっている場合で、それが「いつわかったか」を言うときにも使う。 👤：あれ？　クッキー、もう、なくなってる。 👤：うん。私が開けたとき、何も入ってなかったよ。	3 Bはいつも、過去の文。

例文

① 👤：これ、食べたら、変な味がした。
　👤：えっ！　食べちゃだめよ。それ、ベビーフードよ。
② 👤：どうしたの？
　👤：あの雑誌を買おうと思って、本屋に行ったら、もう売り切れだったよ。がっかり……。
③ 👤：田中さんに電話したら、インフルエンザだって。
　👤：えっ！　昨日会ったときは、元気だったのに……。

れんしゅう

次の（　　）のa、bのうち、正しいほうを選んでください。

❶ 写真では怖そうな人だったけど、（a．会ったら　b．会ったとき）、とてもやさしい人だった。

❷ あの先生に（a．教えてもらったら　b．教えてもらったとき）、よくわかりました。

❸ 彼とは去年、国に（a．帰ったら　b．帰ったとき）、初めて会いました。

❹ いい服があったので（a．試着してみたら　b．試着してみたとき）、ちょっと大きかった。

❺ 私は（a．結婚したら　b．結婚したとき）、大阪に住んでいました。

（Qの答え：b）

36

AはBのとなり　AはBのよこ

Q 👤は👤に、ある車を見るように言います。aとb、どっちを使えばいいですか。

👤：あの車、見て。
👤：え、どの車？
👤：ほら、あの大きい木の（a．となり　b．よこ）に止まっている車。

「AはBのとなり」と「AはBのよこ」は、「AがBの右か左に並んでいる」場合の表現。しかし、同じ意味でも、使えるときと使えないときがある。

AはBのとなり	AはBのよこ
1 「AはBのとなり」は、「AがBのすぐ右か左」になければ、使えない。 × 太郎は、次郎のとなりのほうにいる。 AとBには、同じような種類のものが来る。 ○ 郵便局は銀行のとなりです。 ○ ごみ箱は、いすのとなりに置こう。	1 「AはBのよこ」は、「AがBのすぐ右か左」でなくても使える。また、AとBは、同じ種類のものでなくてもいい。 ○ 郵便局は銀行のよこです。 ○ ごみ箱はお父さんのよこにあるよ。 ○ 太郎は次郎のよこのほうにいるよ。
2 車と木は、同じような種類とはいえない。→Qの「車は大きい木のとなりだ」という言い方はできない。	2 「よこ」は、同じ種類でなくても使える。→Qの「車は大きい木のよこだ」という言い方ができる。

POINT　同じような種類でも、大きさがかなり違う場合は、左右の関係ではなく、上下の関係になる。その場合は普通、「小さいものは大きいものの下」ということになる。

○ サクラの木の下のベンチ
○ ABCビルの下にある駐車場

▶ 例文

① 🧑：わー、たくさんの人。どの人が田中さんか、わからないね。
　👩：あの人よ。ほら、ドアのよこに立っている人。
② 🧑：この本は、どこにしまったらいいですか。
　👩：英語の辞書のとなりに置いておいてください。
③ 🧑：ねえ、どんな家に住みたい？
　👩：そうだなあ……。広いテラスがあって、テラスのよこにはプール、そして、ぼくのとなりには君……。

れんしゅう

次の（　）のa、bのうち、正しいほうを選んでください。
※両方正しいときは、両方選んでください。

❶ 🧑：お荷物は（a．よこ　b．となり）に置かずに、座席の下に置いてください。

❷ 🧑：私の（a．よこ　b．となり）の部屋の人、引っ越したみたい。
　👩：じゃ、今、空いているんだ。

❸ 🧑：奥さん、テレビは、どこに置きましょうか。
　👩：本棚の（a．よこ　b．となり）に置いてください。

❹ 🧑：あれっ、私が読んでいた雑誌、知らない？
　👩：バッグの（a．よこ　b．となり）に置いてあるじゃない？

❺ 🧑：私、犬アレルギーだから、犬が（a．よこ　b．となり）にいるだけで、くしゃみが止まらないんです。
　👩：そうなんですか。私、犬飼ってるから、服に毛がついているかも……。じゃ、私は（a．よこ　b．となり）に座らないほうがいいですね。

(Qの答え：b)

85

37 AないでB　AなくてB

Q 👤と👤の言い方は、どっちが正しいですか。

👤：*健康診断の日って、朝から何も食べられなくて、おなかがすくね。
👤：うん。食べられないで、気分が悪くなる。

＊健康診断：健康の状態を確かめるために、体をいろいろ調べること。

「AないでB」と「AなくてB」は、使い方や意味が異なる。

AないでB	AなくてB
1「Aをしない状態でBをする」という意味。	1「AないからB」という理由を表す。
2 Aには、可能の形は使えない。Bには、「〜する」という動作の文が来て、形容詞は使えない。	2 Aには、可能の形が使える。Bには、意志や判断を表す「〜たい・〜てください・〜しよう・〜ほうがいい・〜てはいけない・〜てもいい・〜つもり」などは使えない。
3 食べられないで、気分が悪くなる（Qの👤）：「食べられない」は、可能の形なので使えない。また、「気分が悪くなる」は「する」ことではなく、「なる」ことで、動作ではない。	3 食べられなくて、おなかがすく（Qの👤）：「食べられないから、おなかがすく」という意味。

POINT ①　「AなくてB」のAやBには、形容詞も使える。

👤：そのかばんは、どうですか。
👤：重くなくて、持ちやすいです。

POINT ②　「AなくてB」のBには、「話し手の意志でコントロールできること」は使えない。

× お金がなくて、買いません　→　○ お金がなくて、買えません。

POINT ③　「話し手の意志でコントロールできること」でも、過去の文なら使える。

○ お金がなくて、歩いて帰りました。
× お金がなくて、歩いて帰ります。

> 例文

① 👤：あら、あの子、薬を飲んで行きなさいって言ったのに……。
　 👤：ほんとだ。飲まないで行っちゃったね。
② 👤：その本、そんなに高かったの？　で、お金、足りたの？
　 👤：いや、足りなくて、田中さんに貸してもらった。
③ 👤：日本語の勉強はどうですか。
　 👤：漢字がわからなくて、困ってるんです。

れんしゅう

1 「ないで」と「なくて」、どっちがいいですか。いいほうを選んでください。

❶ 家族に会うことができ（a．ないで　b．なくて）、さびしいです。

❷ コーヒーは、いつも砂糖を入れ（a．ないで　b．なくて）飲むんですか。

❸ 窓が閉まら（a．ないで　b．なくて）寒かった。

❹ 切手を貼ら（a．ないで　b．なくて）手紙を出してしまいました。

❺ あまりおなかがすいてい（a．ないで　b．なくて）、食べられませんでした。

❻ ダイエットのために、エレベーターを使わ（a．ないで　b．なくて）、階段で行きます。

2 次の（　　）は、aとb、どっちが正しいですか。正しいほうを選んでください。

❶ テストは、何も（a．書けない　b．書かない）で出しました。

❷ シートベルトをしないで（a．運転してはいけません　b．危ないです）。

❸ バスが来なくて、次の駅まで（a．歩きます　b．歩きました）。

❹ トイレがあまりにも汚くて、（a．使いません　b．使えません）。

❺ 恋人がいなくて、（a．ほしいです　b．さびしいです）。

（Qの答え：👤）

38

Aないほうがいい　Aなくてもいい

Q 部長が会議に「出るな」と言っているのは、👤と👤、どっちに対してですか。

👤/👤：私たち、明日の会議への出席は、どうしましょうか。
部　長：👤は出ないほうがいい。👤も出なくてもいいよ。今、時間がないだろう？

📓「Aないほうがいい」と「Aなくてもいい」はよく似ているので、間違えやすい。ポイントを整理しよう。

Aないほうがいい	Aなくてもいい
1 「Aする」と「Aしない」を比べて、「Aない」ことが「いい」と述べる表現。はっきり否定すると強くなりすぎる場面で、やさしく遠まわしに言うことができる。	1 「Aする必要がない」という表現。場面によっては、「無理にAする必要はない、どちらでもいい」という意味になる。「（聞き手が）Aするかしないか」について、積極的に意見を言うものではない。
2 Qの部長は、👤は「出る」より「出ない」ほうがいいと考え、遠まわしに「出るな」と言っている。	2 Qの部長は👤に「どちらでもいいけど、無理に出る必要はない」と言っている。

POINT この二つの表現が両方使える場面もあるが、ニュアンスは異なる。

A：おばあちゃんが病気で入院したってこと、太郎にも言う？
B：(1) いや、試験が終わるまで言わないほうがいいだろう。
　　(2) いや、試験が終わるまで言わなくてもいいだろう。

(1)では「言わないことがいい、言うな」と言っていて、(2)では「今、言う必要はない」と言っている。

例文

① 🧑：この牛乳、飲んでもいい？
   🧑：それ、冷蔵庫に入れるのを忘れてたやつだから、飲まないほうがいい。
② 🧑：明日の面接、スーツで行ったほうがいいかなあ。
   🧑：持ってないんだったら、着て行かなくてもいいんじゃない？
③ 🧑：旅行の申し込み用紙、もう出したほうがいいですよね。
   🧑：そんなに急がなくてもいいですよ。まだ、だいぶ先だから。

れんしゅう

絵を見て、「Aないほうがいい」か「Aなくてもいい」を使って答えてください。

(Qの答え：🧑)

89

39 AながらB　AてB

Q 👤と👤が話しています。間違った言い方は、どっちですか。

👤：最近、電車に乗りながら、化粧している女性が多いと思わない？
👤：そうね。車を運転しながら、ひげをそっている男性もいるし……。

「AながらB」と「AてB」は、Aの動詞によって使い分ける。この二つはよく似ているので、間違わないようにしよう。

AながらB	AてB
1 「AながらB」は「Aの動作とBの動作を、並行して同時にする」という意味。「AながらB」のAは継続動詞（ POINT 参照）。	1 「AてB」は「Aの状態でBをする」という意味。「AてB」のAは瞬間動詞（ POINT 参照）。
2 運転しながら（Qの👤）：「運転する」は継続動詞なので、👤の日本語は正しい。	2 乗りながら（Qの👤）：「乗る」は電車の中に入った瞬間に「乗った（状態）」となるから、瞬間動詞。「AながらB」のAは継続動詞で、瞬間動詞ではないので、Qでは使えない。「乗って〜する」は「電車に乗った状態で〜／電車の中で〜」という意味になる。

POINT

継続動詞…一定の時間、その動作を続ける（または、繰り返す）ことで、意味が成立するもの。
　　例）食べる、飲む、走る、読む、笑う、待つ、勉強する

瞬間動詞…「めがねをかける」の「かける」のように、一瞬の動作で、その動詞の意味が成立するもの。
　　例）立つ、座る、着る、落ちる、死ぬ、始まる、結婚する

動作（立つ）の結果（立った）の状態が続く（立っている）ので、**結果動詞**ともいわれる。

例文

① 🧍:もしもし、今、何しているの。
　🧍:新しいCDを聞きながら、レポートを書いてる。
② 🧍:日焼け対策は、どうしていますか。
　🧍:帽子かぶって、手袋して、サングラスかけて、外出します。
③ 🧍:ベンチに座って話しますか、それとも、歩きながら話しますか。
　🧍:どちらでも。

れんしゅう

絵を見て、Aに（　）のことばを使って、「AながらB」か「AてB」の文を作ってください。

❶ （ギター）
❷ （テレビ）
❸ （めがね）
❹ （エコバッグ）
❺ （かさ）
❻ （けいたいでんわ）
❼ （ぼうし）
❽ （ネクタイ）
❾ （じてんしゃ）
※してはいけないことです。

（Qの答え：🧍）

91

40 AならB　AたらB

Q 今日、👤はパーティーに行きます。👤は、お酒を飲みますか、飲みませんか。

👤：今日は車で行くんでしょ？　少しでもお酒を飲んだら、運転は絶対だめ！　いい？

👤：わかってる、わかってる。飲むなら、車で行かないよ。

「AならB」と似ていて、間違えやすいのが、「AたらB」。それぞれのAは「まだ起こっていないこと」だが、Bをいつするのかが、異なる。

AならB	AたらB
1 「AならB」のBは、Aの前にすること。 ○ 旅行に行くなら、教えて。 旅行に行く前に「旅行に行くよ」と教えてほしい、という意味。	1 「AたらB」のBは「Aのあとにすること」。 ○ 旅行に行ったら、教えて。 旅行から帰ったあと、「旅行に行ってきたよ」と教えてほしい、という意味。
2 酒を飲むなら、車で行かない（Qの👤）：「お酒を飲む場合は、飲む前に、車で行かないことを決める」という意味。つまり、「車で行くから、当然、飲まない」ということ。	**2 酒を飲んだら、運転はだめ**（Qの👤）：「お酒を飲んだあとは、運転してはいけない」という意味。

> 例文

① 🧑：ねえ、宝くじ、買わない？
　 👤：宝くじねえ……。本当に当たるなら買うけど、当たったこと、ないからなあ。
② 🧑：その本、おもしろかったら貸してくれる？
　 👤：うん、読んだら貸すよ。
③ 🧑：安く買いたいのなら、100円ショップに行ったほうがいいですよ。
　 👤：100円ショップ？　そこに行ったら、安く買えるんですか。

れんしゅう

1 「たら」「なら」に注意して、左と右が最も合うように、線でつないでください。
※同じものを2回使うことはできません。

❶ ご飯を食べるなら　　　　　　　a．電気をつけなさい。

❷ ご飯を食べたら　　　　　　　　b．手を洗いなさい。

❸ 魚を買うなら　　　　　　　　　c．机の上に置いておいて。

❹ 魚を買ったら　　　　　　　　　d．歯を磨いたほうがいいですよ。

❺ 新聞を読むなら　　　　　　　　e．マグロにして。

❻ 新聞を読んだら　　　　　　　　f．冷蔵庫に入れておいてね。

2 次の（　　）は、「たら」と「なら」、どっちがいいですか。

❶ 国に（a．帰るなら　b．帰ったら）、再入国の手続きをして帰ってください。

❷ 安いワインをたくさん（a．飲むなら　b．飲んだら）、頭が痛くなるよ。

❸ 年末、東京に（a．行くなら　b．行ったら）、早くホテルを予約したほうがいいですよ。

❹ 映画を（a．見るなら　b．見たら）、前売り券を買わない？

❺ カードを（a．失くすなら　b．失くしたら）、すぐカード会社に連絡しないと！　急いで電話して。

（Qの答え：飲みません）

41 Aに行く　Aに来る①

Q 学校の帰りに、■は♁を家に誘いました。2人の会話は、aとb、どっちが正しいですか。

■：a．今から私のうちに行く？
　　b．今から私のうちに来る？
♁：a．うん、行くよ。
　　b．うん、来るよ。

ここでは、話し手と一緒に話し手の領域に移動するときの「行く」「来る」について、考えよう。

Aに行く	Aに来る
1 「Aに行く」は、「話し手の領域ではない場所」への移動のときに使う。 	1 「Aに来る」は、「話し手の領域や話し手が現在いる場所」に誰かが近づくときに使う。 
2 Qの「■のうち」は、♁にとっては"自分の領域"ではない、したがって、「行く」を使う。つまり、「私(♁)は■のうちに行く」となる。 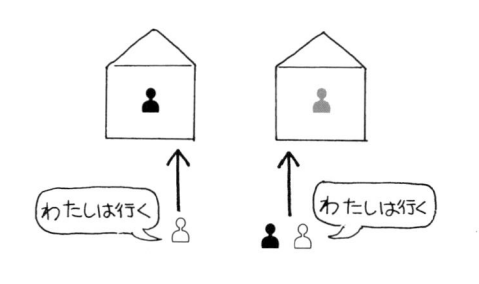	2 Qの■にとって、「私のうち」は"自分の領域"。■がその領域(うち)にいてもいなくても、誰かをそこに誘う場合は、「来る」を使う。つまり、「あなた(♁)は私(■)のうちに来る」となる。 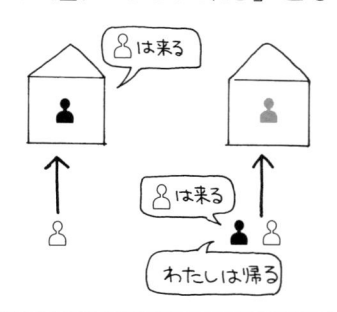

POINT 話し手が一人で話し手の領域に移動するときは、「帰る」を使う。

> 例文

① 👤：夏休みは国に帰っていますので、ぜひ、私の国に遊びに来てください。
　👤：👤さんが案内してくれるんですか。いいですね、行きたいです。
② 👤：こちらには、何時ごろ、いらっしゃいますか。
　👤：2時ごろに行くつもりです。
③ 👤：うちの近くまで来たら電話して。迎えに行くから。
　👤：迎えにてくれるの？　ありがとう。

れんしゅう

今、👤と👤がどこにいるのかを考えて、a、bのうち、正しいほうを選んでください。

❶ 👤：私の家、狭いけど、また来てね。
　👤：ええ、また来たいわ。
　　(1)　👤がいる場所　　（a．👤のうち　b．👤のうち以外）
　　(2)　👤がいる場所　　（a．👤のうち　b．👤のうち以外）

❷ 👤：北海道って、いいところだろう。また、行こうな。
　👤：ええ、また、行きたいわ。
　　(1)　👤がいる場所　　（a．北海道　b．北海道以外）
　　(2)　👤がいる場所　　（a．北海道　b．北海道以外）

❸ 👤：そっちは混んでるから、こっちのテーブルに来たら？
　👤：そうね。じゃ、そっちに行く。
　　(1)　👤がいる場所　　（a．👤のテーブル　b．👤のテーブル以外）
　　(2)　👤がいる場所　　（a．👤のテーブル　b．👤のテーブル以外）

❹ 👤：ごめん、財布、忘れちゃった。駅まで持って来てくれない？
　👤：わかった、持って行くよ。
　　(1)　👤がいる場所　　（a．駅　b．駅以外）
　　(2)　👤がいる場所　　（a．駅　b．駅以外）

(Qの答え：b，a)

42 Aに行く　Aに来る ②

Q 👤は明日、自分の国から日本に戻ります。荷物がいっぱいあるので、日本にいる👤に電話をして、空港まで迎えを頼みました。aとb、どっちが正しいですか。

　👤：a. もしもし、👤さん、明日、空港に迎えに来てくれませんか。
　　　b. もしもし、👤さん、明日、空港に迎えに行ってくれませんか。

「話し手以外の人」が"行く"場合と"来る"場合のポイントを確認しよう。

行く	来る
1 話し手以外の人が、話し手の領域の外に向かって移動する。	1 話し手以外の人が、話し手のいる場所、話し手の領域に向かって移動する。
 〔彼は明日、病院に行くだろう〕	 〔彼は明日、ここに来るだろう〕
2 Qのbの場合、空港は話し手のいる場所ではない。そこに、話し手以外の人が着くことになる。 私は国にいる＋ほかの人が空港にいる →「👤さん、空港に"行って"ください」 	2 Qでは、電話をしているとき、👤はまだ日本の外にいるので、👤が近づくわけではない。しかし、「次の日、空港にいる自分」を想定して、話し手のいる場所（空港）に「来て」と言っている。 私は空港にいる→「👤さん、空港に"来て"ください」 

例文

① 🧑:もしもし、明日、2時ごろ図書館にいるから、来ない？
　👤:わかった。じゃ、行くよ。
② 🧑:田中さんの家のパーティー、私は行くけど、👤さんも来る？
　👤:いえ、私は行きません。用事があって……。
③ 🧑:今から荷物をトラックに乗せるんだけど、人が足りなくて……。誰か来てくれない？
　👤:ぼくはちょっと行けないんですが、村田さんが、たぶん行けると思います。

れんしゅう

次の（　）に、「行く」または「来る」を、形を変えて入れてください。

❶ 🧑:もしもし、🧑です。今、「レストラン鳩山」にいるんだけど、（a.　　）ませんか。
　👤:わかりました。すぐ（b.　　）ます。

❷ 🧑:明日、うちでパーティーをするんです。MさんやNさんも（a.　　）んですが、👤さんも（b.　　）ませんか。
　👤:明日？　明日はちょっと忙しくて……。残念だけど、（c.　　）ないなあ。

❸ 🧑:お世話になりました。……明日、みんな、空港まで見送りに（a.　　）くれるかなあ？
　👤:もちろん、全員で（b.　　）ますよ。

❹ 🧑:もしもし、まだ会社にいるの！？
　👤:そうなんです。全然終わらなくて……。
　🧑:明日も会社、（a.　　）んでしょ？　ぼくも（b.　　）から、今日はもう帰ったら？
　👤:えっ、🧑さん、明日、（c.　　）てくれるんですか。

❺〈日本の空港で〉
　🧑:👤さん、日本にはよく（a.　　）んですか。
　👤:今回で2回目です。1回目は観光で（b.　　）んですが、今回は仕事です。

（Qの答え：a）

97

43 Aね　Aよ 〈終助詞〉

Q 外から帰ってきた👤が、部屋の中にいる👤に言いました。👤は、aとb、どっちの言い方で答えればいいですか。

👤：ただいま！　ふーっ、今日は暑いよ。
👤：a．そうだよ。
　　b．そうだね。

文の最後に付く「ね」や「よ」（終助詞）には、話し手の気持ちを表す働きがある。

Aね	Aよ
1 「Aね」は、相手に同意を求めたり（私はこう思うが、あなたも同じ意見ですか）、相手に同意したり（私も同じ意見です）する気持ちを表す。相手の「Aね」に同意する場合は、「Aね（そうですね）」で返すのがいい。	1 「Aよ」は、聞き手に対して新情報（相手が知らないと思われること）を伝える気持ちで使う。「Aよ」と言われて、その情報を知らなかったときは、「Aか（そうですか）」を使う。
2 Qで、外から帰ってきた👤は、「外が暑い」ことを👤に伝えるために、「Aよ」を使った。👤は自分も暑いと思っていたので、「Aね」を使えばいい。	2 Qで、👤が「Aよ（そうですよ）」と言ったら、「そんなこと、すでに知っている」「当たり前だ」という意味になる。失礼な感じになるので、注意。

POINT ①　「Aか」は疑問の意味で使われることが多いが、「Aよ」に対して、「Aか」で答える場合もある。その場合は、納得の意味や確認を求める意味になる。

👤：これは、日本語で「うちわ」って言うんですよ。
👤：そうですか。／ああ、これがうちわですか。／えっ、これがうちわですか。

POINT ②　「Aよ」は、疑問の「Aか」に答えたり、人に何かを教えたりするときに使う→(1)。「Aね」は、確認したり、念を押したりするときに使うことがある→(2)。

(1) 👤：これは何ですか。
　　👤：それは中華料理のスパイスですよ。
(2) 👤：髪にほこりが付いてますよ。取ってあげますね。
　　👤：ありがとう。

> 例文

① 👤：こんにちは、今日も雨ですね。
　👤：そうですね。よく降りますね。
② 👤：今日の会議の書類は？
　👤：さっき、10人分コピーして、会議室に持って行ったよ。
③ 👤：あそこの踏み切りで事故があったらしいよ。パトカーや救急車がいっぱい来てた。
　👤：本当？　……こわいね。最近、事故が多いから、気をつけてよ。

れんしゅう

次の（　）のa、bのうち、正しいほうを選んでください。

❶ 👤：このスープ、飲んだ？
　👤：ううん、まだ。
　👤：おいしい（a．よ　b．か）。早く飲んでみて。
　👤：……ほんとだ、おいしい（a．ね　b．か）。

❷ 👤：私は仕事が残っているので、土曜日も会社に行きます（a．よ　b．か）。
　👤：えっ、土曜日も来るんです（a．よ　b．か）！　じゃ、私も来て、手伝いましょう（a．よ　b．か）。

❸ 👤：ねえ、何か変な匂いがします（a．よ　b．か）。
　👤：そうです（a．よ　b．か）。私には、わかりませんけど……。台所のガスは、全部消しましたよ（a．か　b．ね）？　変です（a．ね　b．か）。

❹ 👤：「行く」の「て形」は「行きて」です（a．よ　b．か）、「行って」です（a．よ　b．か）。
　👤：「行って」です（a．よ　b．か）。
　👤：あ、そうでした（a．よ　b．ね）。

(Qの答え：b)

44 Aは Aが ①

Q 👤はビールを飲みますか。日本酒を飲みますか。

👤：ビール、もう一本、頼む？
👤：ビールはいいよ。日本酒がいい。

「は」と「が」には、いろいろな意味がある。ここでは、2つ以上のものを比べて、述べたり選んだりするときの「は」と「が」を中心に、考えよう。

Aは	Aが
1「は」は、「質問に対して、否定の形で答える」ときに使う。 👤：辞書、持ってますか。 👤：辞書は持っていません。 2 ビールはいい（Qの👤）： 「は」の働きによって、「（ほかのものはともかく）ビールについては、いらない、飲まなくていい」という意味になる。	1「が」は、「2つ以上の中から選んで、そのことについて述べる」ときに使う。 👤：会議の資料は？ 👤：これが課長ので、これが部長のです。 2 日本酒がいい（Qの👤）： 「が」の働きによって、「たくさんのアルコールの中から、日本酒を選んだ」という意味になる。

POINT 「〜はいい」の2つの意味に注意！

次のAの場合、この「いい」は「良い」という意味。一方、Bの場合は「もう結構・十分だ、必要ない」という意味なので、「北海道ではなく、沖縄を選ぶ」ということになる。

A：北海道はいいよ。涼しいし、食べ物はおいしいし。
B：北海道はいいよ。去年行ったし……。沖縄がいいよ。

> 例文

① 🧑：あれがセンタービルですか。
　 👤：いいえ、あれは違います。あれのとなりがセンタービルです。
② 🧑：牛丼を食べたことがありますか。
　 👤：牛丼ですか。いえ、それはまだ……。
③ 🧑：日本の食べ物はどうですか。
　 👤：おいしいですよ。特に、すしがおいしいです。

れんしゅう

1 次の（　　）に、「は」か「が」を入れてください。

❶ 🧑：赤ワイン、飲みますか。
　 👤：いえ、ワイン（　　）飲まないんです。

❷ 🧑：先生、履歴書を書くのは、黒いペン（　　）いいんですか。青（　　）だめなんですか。
　 👤：黒（　　）いいです。青（　　）、だめじゃないけど、あまりお勧めしません。

❸ 🧑：明日はＡ大学に初めて行くんです。
　 👤：Ａ大学に行くんだったら、東西線（　　）便利ですよ。乗り換えなしですから。

❹ 🧑：お客様、このピンクの（　　）いかがでしょうか。
　 👤：ピンク（　　）あんまり……。白（　　）ほしいのよ。

2 次の（　　）は、aとb、どっちがいいですか。いいほうを選んでください。

❶ 🧑：魚のおいしい店に行く？
　 👤：魚は、あまり（a．好き　b．嫌い）じゃない。肉が（a．いい　b．いや）。

❷ 🧑：すみません、２号館へ行きたいんですが……。
　 👤：ここからは（a．行けません　b．行けます）よ。

(Qの答え：日本酒)

45

Aは　Aが②

Q 👤は、デパートでトイレの場所を聞いています。👤は、それに答えています。それぞれ、aとb、どっちを使えばいいですか。

👤：a．すみません、トイレがどこにありますか。
　　b．すみません、トイレはどこにありますか。

👤：a．2階にトイレがあります。
　　b．トイレは2階にあります。

ここでは、場所を聞く疑問詞「どこ」と、それと一緒に使う「は」と「が」、また、その答え方について考えてみよう。

Aは	Aが
1 疑問詞は「は」のあとに置いて、「Aはどこですか」となる。Aが存在していることはわかっていて、その場所を聞く表現。	1 疑問詞は「が」の前に置いて、「どこがAですか」となる。たくさんの中からAを特定するときの表現。
2 Qの👤は、トイレがあることは知っていて、その場所を聞いている。したがって、bが正しい。この場合、「Aはどこにありますか」も「Aはどこですか」も、意味は同じ。	2 「どこがトイレですか」という文は、例えば、いくつかのドアがあって、その中からトイレを探すときに使う。この場合、「〜ありますか」を使うことはできない。
3 Aは［場所］にあります（Qの👤のb）：まずAを話題にして、その存在場所を示す表現。「Aはどこですか」という質問への答えも、この形。	3 ［場所］にAがあります（Qの👤のa）：［場所］にAが存在するかどうかを示す表現。「どこが（Aか）？」の質問に答える形ではない。
4 Qの👤は「トイレの場所」を聞いているので、👤は「（あなたが聞いているその）トイレは……」と、まずトイレを話題にしているbが正しい。	4 Qの👤が👤にデパートの中を説明する場面なら、「2階にトイレがあります」と言うことができる。

> 例文

① 🧑：あなたの出身地は、この地図のどこ？
　 🧑：えーと、私の出身地は……ここです。
② 🧑：はい、口を開けて…。どこが痛いですか。
　 🧑：あー、そこ。そこが痛いです。
③ 🧑：明日の10時ごろ、持って行きますけど、事務所にいますか。
　 🧑：10時ですか……。私はちょっと出かけていますが、ほかの者がいます。

れんしゅう

次の（　）に、「は」か「が」を入れてください。

❶ 🧑：あれ？　どっち（　　　）私のくつだっけ？　似ているから、わからない。
　 🧑：えーと……。あ、私の（　　　）こっち。

❷ 🧑：ABC電気です。修理に参りました。えーと、修理するの（　　　）どちらのパソコンですか。
　 🧑：それです。そのパソコン（　　　）ちょっと変なんです。

❸ 🧑：来週の飲み会、何曜日（　　　）いい？
　 🧑：私は火曜がひまだから、火曜（　　　）いい。

❹ 🧑：すみません、薬、2種類もらったんですけど、どっち（　　　）痛み止めですか。
　 🧑：白いほうです。白いカプセル（　　　）痛み止めです。

❺ 🧑：すみません、はさみ（　　　）ありますか。あったら、貸してください。
　 🧑：はさみ（　　　）その引き出しにありますから、どうぞ使ってください。

（Qの答え：b、b）

46

AはBにCをDられた　AのCはBにDられた

Q 心配している人に、人は、aとb、どっちで答えればいいですか。

人：どうしたんですか。
人：財布がないんです。電車の中で（ a．スリに財布をとられたかも……。
　　　　　　　　　　　　　　　　　　b．財布はスリにとられたかも……。）

「受身の表現」で間違いが多いのは、「行為を受ける人の持ち物」に関する文。気をつけよう。

AはBにCをDられた	AのCはBにDられた
1「行為を受ける人」の"持ち物や体の一部"が、ある行為を受ける場合、「行為を受ける人」を主語にして、次の形になる。 A（行為を受ける人）は B（行為をする人）に C（Aの持ち物・体の一部）を D（行為）られる。 ○ 彼は、先生に作文をほめられた。 ○ 私は、父に日記を読まれた。 2 Qでスリにとられたのは「私の財布」。「私はスリに財布をとられた」が正しいが、会話では普通、主語である"私"を省略する。	1「行為を受ける人」の"持ち物や体の一部"が、ある行為を受ける場合、"持ち物や体の一部"を主語にしない。 × 私の日記は、父に読まれた。 × 私の足は、誰かに踏まれた。 2 Qで、スリにとられたのは「私の財布」。つまり持ち物なので、財布を主語にして言うのは、間違い。 3 Cが持ち物や体の一部でない場合、または「AのC」を強調したい場合、次の形になる。 A（行為をする人）の C（持ち物・体の一部）は B（行為をする人）に D（行為）られる。 ○ 彼の弟は、先生に叱られた。 ○ 彼の本は、新聞に紹介された。

例文

① 👤：電車の中でメールを打っていたら、知らない人に後ろから見られて、嫌だった。
（私は知らない人にメールを見られた）
👤：ぼくもそういうことをされたこと、ある。

② 👤：どうしたの？　鼻血？
👤：うん。バスケットをしていて、顔にボールを当てられたんだ。最悪！
（私は〈相手に〉顔にボールを当てられた）

③ 👤：彼女、若く見えるでしょう？　よく独身に間違われるんだって。
（彼女は〈相手に〉独身に間違われる）
👤：へー、うらやましい。

れんしゅう

絵を見て、受身の文を作ってください。

❶ 「トムさん」

❷ 「わたし」　「たなかさん」

❸ 「トムさん」　「女の人」

❹ うめだえきは？　「しらない人」　「わたし」

❺ 「おとうと」　「わたし」

❻ 「わたし」

（Qの答え：a）

105

47

Aます　Aんです

Q 👤の質問に、👤は、aとb、どっちで答えればいいでしょうか。

👤：宿題、もうしましたか。
👤：はい、もう （a．したんです。）
　　　　　　　　（b．しました。）

「Aんです」は、会話の中でよく使う。いつ、どんなときに使うのか、確認しよう。

Aます	Aんです
1 質問に（「Aんです」を使わず）「Aます（ました）」で答えるのは、事実だけを客観的に伝えるとき。	1 質問に「Aんです」で答えるのは、説明を加えようと思う気持ちがあるとき。 👤：土曜日、お祭りに行きませんか。 👤：土曜は仕事なんです。
2 Qでは、「宿題をしたか、していないか」という事実だけを答えればいいので、bが正しい。	2 Qの「Aんです」を使うと、今の自分の状況を説明することになり、「それで何か問題があるのか？」というニュアンスを含むこともある。一方、質問では「宿題をしたか、していないか」だけを聞いている。
3 「どこへ？」という質問に対して「～ます」で答えると、場所を示すだけの淡々とした答え方になる。 👤：今度の休み、どこか旅行に行きますか。 👤：ええ。 👤：どこへ行きますか。 👤：ハワイへ行きます。 👤：いいですねー。	3 「んです」を使うと、👤は、👤が旅行に行くことがわかっていて、確認する意味になる。 👤：旅行へ行くんですか。 👤：ええ。 👤：どこへ行くんですか。 👤：ハワイへ行きます。 👤：いいですねー。
	4 「事情や理由を確かめたい・伝えたい・理解してもらいたい」ときに使う。 👤：どうしましたか。 👤：頭が痛くて、吐き気がするんです。

> 例文

① 🧍:人がたくさん集まっていますね。何があったんですか。
　 🧍:さっき、事故があったんですよ。
② 🧍:今日、提出の書類は？　どうしたんですか。
　 🧍:実は……家に忘れてきてしまったんです。
③ 🧍:モルディブに行ったそうですね。
　 🧍:ええ。海がとてもきれいなんです。

れんしゅう

次の文では、aとb、どっちを使うのが自然ですか。

❶ 🧍:わあー、どの料理もおいしそうですね。🧍さん、どれ、食べますか。
　 🧍:そうですね……私は　（a．ハンバーグ定食にします。
　　　　　　　　　　　　　　b．ハンバーグ定食にするんです。）

❷ 🧍:遅かったですね。どうしたんですか。
　 🧍:a．電車が遅れました。すみません。
　　　b．電車が遅れたんです。すみません。

❸ 🧍:この計算、合っていますか。
　 🧍:a．ええ、合っていますよ。
　　　b．ええ、合っているんですよ。

❹ 🧍:田中さん、遅いなあ……。ちゃんと連絡したんでしょ？
　 🧍:a．はい、ちゃんと連絡しましたが……。
　　　b．はい、ちゃんと連絡したんですが……。

❺ 🧍:まだですか。早くしてください。
　 🧍:a．はい、すぐ行きます。
　　　b．はい、すぐ行くんです。

(Qの答え：b)

48 AまでにB　A中にB

Q 田中さんは、部長と課長、どっちの報告書を先に仕上げなければなりませんか。

部長：田中くん、報告書は来週中に出してくれ。
課長：田中くん、報告書は来週までに出してくれ。

「AまでにB」と「A中にB」のBは、どっちが話をしている時点に近いか、考えてみよう。

AまでにB	A中にB
1 Aは時点を表し、一般に、次のような傾向がある。 1）Aが日にちや時間の場合 　…Aまでが範囲 　○3時までに、ここに来てください。 2）Aが一定の期間の場合 　…その前までが範囲 　○夏休みまでに、レポートを出します。 3）Aが状況の変化を示す出来事などの場合…その前までが範囲 　○キャンペーン期間が終わるまでに、申し込みをしないといけません。	**1** Aは期間を表し、「その期間の間のどこかでBを終了する」という意味。 例えば、「夏休み中に旅行する」といえば、「"夏休み"という期間のどこかで旅行をする」という意味。
2 来週までに（Qの課長）： 「来週になる前に（出せ）」という意味だから、課長の報告書のほうを早く仕上げなければならない。	**2** 来週中に（Qの部長）： 「来週の一週間の間に（出せ）」という意味だから、部長の報告書は、あとでもいい。

例文

① 🧑：明日は何時までに行けばいいんですか。
　👤：10時までに来てください。
② 🧑：今日は午後から雨らしいよ。
　👤：だったら、午前中に洗濯しなきゃ。
③ 🧑：演奏中に席を立ったり、おしゃべりしたりしないでください。
　👤：じゃ、始まるまでにトイレに行っておこう。

れんしゅう

1　次の（　）に、「までに」か「中に」を入れてください。

❶ 🧑：書類は5月（　　　）そろえてください。
　👤：今、4月ですよ。ということは、あと1カ月もないんですね。

❷ 🧑：書類は5月（　　　）そろえてください。
　👤：今、4月ですから、あと1カ月以上ありますね。

❸ 🧑：試合（　　　）雨が降り出して、中止になっちゃった。
　👤：勝ってたんでしょ？　残念だったね。

❹ 🧑：試合（　　　）このけが、治るかなあ。
　👤：大丈夫じゃない？　1カ月後でしょ？

2　次の文を読み、カレンダーを見て、あとの質問に答えなさい。

🧑：ビザの申請は来月の25日までです。必要な書類を一度チェックしますので、来週中に持って来てください。
👤：写真はいりますか。
🧑：あとからでいいです。そうですね、来月までで。

❶ 写真は、いつまでに出しますか。
　　a．6月30日まで　　b．7月31日まで　　c．8月31日まで
❷ 必要な書類は、いつまでに持っていきますか。
　　a．7月18日まで　　b．6月20日まで　　c．6月14日まで
❸ ビザの申請の締め切りは、いつですか。
　　a．7月25日　　　　b．6月25日　　　　c．8月25日

（Qの答え：👤 課長の報告書）

49 見られる　見える

Q 映画のポスターを見て、Aさんが Bさんに言っています。Bさんは、a と b、どっちで答えればいいですか。

A：あっ、これ、見たかった映画。いつから始まるんだろう？
B：a．11月15日から見えるって書いてあるよ。
　　b．11月15日から見られるって書いてあるよ。

「見る」の可能の形「見られる」と自動詞の「見える」は、両方使える場合と、どっちか一方だけ使える場合がある。

見られる	見える
1 「見られる」は「（あるものが）見ることができる状態にある」ことを表す。その時点では、（まだ）視界になく、見ていない。 ○ 秋になると、町の神社で秋祭りが見られる。	1 「見える」は「（あるものが）視界にある、自然に目に入る」ことを表す。 ○ ビルとビルのあいだから、空が見える。
2 Qの Aが言いたいのは、「11月15日になったら（条件が成立したら）、"見る"ことができる」ということ。	2 Qでは、「11月15日になっても（条件が成立しても）、"自然に目に入る"とはいえない」ので、a は間違い。

POINT ある条件が成立したら自然に目に入るとき、「見える」「見られる」の両方が使える。

○ 今日は天気がいいから、富士山が見える。
○ 今日は天気がいいから、富士山が見られる。

> 例文

① 🧑：👤さん、めがね、かけるんですか。
　👤：ええ。遠いと、よく見えなくて……。
② 🧑：白いブラウスを着るときは、下着に気をつけたほうがいいよ。
　👤：えっ、見えてる？
③ 🧑：今日、何かおもしろい番組ある？
　👤：わからない。でも、インターネットで番組表が見られるよ。見てみる？

れんしゅう

次のaとbは、どっちを使うほうが自然ですか。

❶ 🧑：あそこに「入口」って、書いてあるよ。
　👤：えっ、あの小さい字が（a．見えるの　b．見られるの）？

❷ 🧑：今朝の電車で、私のとなりにいた人のかばんの中が（a．見えた　b．見られた）んだけど、子犬がいたの。かわいかったー。
　👤：うそー、私も見たかった。

❸ 🧑：先生、この本を探しているんですが、どこにもなくて……。
　👤：もう売ってないかもしれませんね。でも、大学の図書館に行けば、（a．見え　b．見られ）ますよ。

❹ 猫は、夜でもよく目が（a．見える　b．見られる）んでしょ？

❺ 今日は早く帰れるから、サッカーの試合が（a．見える　b．見られる）ぞ。

❻ 授業中、窓の外を見たら、飛行機が飛んでいるのが（a．見えた　b．見られた）。

❼ 涙でみんなの顔がよく（a．見えなかった　b．見られなかった）。

❽ うそをついていたのが申し訳なくて、先生の顔が（a．見えなかった　b．見られなかった）。

（Qの答え：b）

50

もっとA ずっとA

Q 👤は、新しいコピー機を使っている👤に注意している。aとb、どっちを使えばいいですか。

👤：あ、また間違えた。10枚のつもりが、100枚もコピーしちゃった。
👤：紙がもったいないでしょ！
　　（a．ずっと気をつけて。
　　　b．もっと気をつけて。）

📓 「もっとA」と「ずっとA」は、二つのものの"程度"を比べたときに使う表現。使い方の違いを見てみよう。

もっとA	ずっとA
1 「もっとA」は、ある一つのものを基準に「それ以上に（以下に）A」ということを表す。 👤：キムラって、20歳ぐらい？ 👤：ううん、もっと年上だよ。 次の文は「ダイヤは金以上に高い」ということを表している。 ○ 金の指輪なら1万円ぐらいからありますが、ダイヤモンドはもっと高いです。 2 Qでは、👤に対して「[失敗した今の注意レベル] 以上に気をつけなさい」と注意している。	1 「ずっとA」は、2つを比べて「差が大きい（一方に対して、もう一方のほうがAの程度が上）」ことを表す。 👤：キムラとカトリって、どっちが年上？ 👤：キムラのほうがずっと年上だよ。 次の文は「金とダイヤの差はとても大きく、ダイヤはとても高い」ということを表している。 ○ 金の指輪なら1万円ぐらいからありますが、ダイヤモンドはずっと高いです。 2 Qでは、[失敗した今の注意レベル] と比べるものがないので、「ずっと」は使えない。 3 「ずっと」には、「ある期間、その状態が続いている」という意味もある。 　○ 仕事中、ずっと立っていて、疲れた。

例文

① 👤：どうしたの？ 遠慮しないで、もっと食べて。
　👤：はい、いただきます。
② 👤：いつごろハワイへ行ったんですか。2年ぐらい前ですか。
　👤：ううん、もっと昔よ。
③ 👤：いつごろハワイへ行ったんですか。
　👤：ずっと昔よ。忘れたわ。

れんしゅう

次の（　）に、「もっと」か「ずっと」を入れてください。

❶ 👤：ねえ、この赤い服と青い服、どっちが似合う？
　👤：赤いほうが（　　　　　）いい。

❷ 👤：5月の連休に家族旅行をしようと思うんだけど……。
　👤：連休なんて、やめたほうがいいよ。どこに行っても混んでるし、高速道路も（　　　　　）渋滞しているし。

❸ 👤：◯さんって、スタイルいいですね。
　👤：そうですか？ これでも太ったほうですよ。学生時代は（　　　　　）やせていましたから。

❹ 👤：これ、この前のテスト……。
　👤：何、この点数！ あなたは（　　　　　）できるはずなんだから、テレビばかり見ないで、努力しなさい。

❺ 👤：東京タワーって、ここから見える？
　👤：ほら、（　　　　　）遠くに、丸い屋根の建物があるでしょう。あの向こうに小さく見えているのが、そう。

(Qの答え：b)

51 Aようだ　Aらしい

Q 今、「寒い」と感じているのは、👤ですか、👤ですか。

👤：今日は昨日より少し寒いようですね。
👤：ええ、昨日より寒いらしいです。

「Aようだ」と「Aらしい」は、ともに推量の表現だが、どのように違うのだろうか。「Aらしい」のもう一つの使い方にも注意。

Aようだ	Aらしい
1「Aようだ」は、目・耳・鼻・舌・皮ふなどから得た情報をもとにした推量に、よく使われる。 ○ 彼はワインが好きなようだ。	1「Aらしい」は、主に目や耳から得た情報をもとに推量をする表現。この範囲では、「Aようだ」と大きな違いはない。 ○ 彼はワインが好きらしい。
2 鼻・舌・皮ふで感じて推量するのは、「Aようだ」だけの特徴。 ○ ちょっと塩辛いようですね。 ○ 香水をつけているようです。 ○ この子、熱があるようですよ。	2 目や耳で感じること以外で使う場合は、推量ではなく、人から聞いた話を伝える "伝聞" の意味になる。 ○ ちょっと塩辛いらしいですね。 ○ 香水をつけているらしいです。 ○ この子、熱があるらしいですよ。
3 昨日より少し寒いようだ（Qの👤）： 自分の肌で感じて、「昨日より～」と推量している。したがって、「寒い」と感じているのは👤。	3 昨日より寒いらしい（Qの👤）： 自分で感じているのではなく、聞いた話であることを表す。

POINT　「Aようだ」と「Aらしい」は、はっきり断言するのを避ける「あいまい表現」として使うこともある。

👤：消防車がたくさん来ているようですね。どこか火事ですかね。
👤：そうらしいですよ。さっき、窓から煙が出ていましたから。

例文

① 🧑：あっ、いい匂い！
　🧑：ほんとだ！　ケーキを焼いているような匂いだね。どこかで焼いているのかな？
② 🧑：ねえ、スターフルーツって、食べたことある？
　🧑：うん、あるよ。リンゴとナシをミックスしたような味だよ。
③ 🧑：犯人は、この窓から入ったらしいな。
　🧑：ええ。何か硬いものでガラスを割ったようですね。

れんしゅう

次の（　）のa、bのうち、正しいほうを選んでください。

❶ 🧑：この日本酒とそのワインって、どっちが強いと思う？　ちょっと飲んでみて。
　🧑：うん。……飲んだ感じでは、ワインのほうが強い（a．ような　b．らしい）気がする。

❷ 🧑：この豆腐、ちょっと変な匂いがする。腐っている（a．ようだから　b．らしいから）、食べないほうがいいよ。
　🧑：えっ、そうなの？　あっ、賞味期限を3週間も過ぎてる！

❸ 🧑：ちょっと食べてみて。野菜、煮たんだけど、やわらかくなってる？
　🧑：うーん、まだちょっと硬い（a．ようだ　b．らしい）なあ。もう少し煮たほうがいいよ。

❹ 🧑：田中さん、最近、見ないね。
　🧑：うん。林さんの話では、入院した（a．よう　b．らしい）ですよ。

❺ 🧑：どうしたんですか。顔色が悪いですよ。
　🧑：かぜを引いた（a．よう　b．らしい）です。寒気がするんです。

❻ 🧑：お父さんが帰ってきた（a．ようだ　b．らしい）わ。
　🧑：へー。お母さん、足音だけでわかるの？

（Qの答え：🧑）

52 Aようにする　Aようになる

Q 👤は、aとb、どっちで答えればいいですか。

🧑：今度のゴルフ、ぜひ、君に参加してもらいたいんだが。
👤：a．じゃ、できるだけ時間をつくって、行くようにするよ。
　　b．じゃ、できるだけ時間をつくって、行くようになるよ。

「Aようにする」と「Aようになる」は、形が似ているので間違えやすい。どこが違うか、ポイントを確認しておこう。

Aようにする	Aようになる
1「Aようにする」は「Aの実現のために、努力したり手間をかけたりすること」を表す。現在の状態を表す場合、文の終わりは「～ようにしている」の形になる。 ○ 就職してから、早起きするようにしている。	**1**「Aようになる」は「以前と違う状態Aに変わる」という意味。実際に起こった変化を取り上げて、文の終わりは「～ようになった」の形になることが多い。 ○ 就職してから、早起きするようになった。 Aに、変化を表す言葉は使わない。 × 最近、太るようになった。
2 できるだけ～する（Qの👤）： 「できるだけ」と言っているので、「行く」ことは簡単ではないが、頑張って「行く」と答えているので、aが正しい。	**2** Qの👤が「行く」ことは、変化ではないので、「Aようになる」は使わない。 **3** Aが可能を表す動詞の場合は「能力の変化」を表し、それ以外の動詞の場合は「習慣や状況などの変化」を表す。また、「する→しない」という変化があった場合は、「Aなくなる」という形になることが多い。

例文

① :健康のために、何かしていることある？
　:朝、会社に行くとき、一つ前の駅で降りて、歩くようにしているよ。
② :子どものころと比べると、食べ物の好みって、変わるね。
　:そう、そう。嫌いだった野菜が、おいしく食べられるようになった。
③ :チンさん、日本語、上手に話せるようになりましたね。
　:ありがとうございます。できるだけ多くの日本人と話すようにしているんです。

れんしゅう

次の（　）のa、bのうち、正しいほうを選んでください。

① :◯さん、あまり寝てないんじゃないですか。仕事、忙しいんですか。
　:大丈夫です。実は最近、夜遅くに外国のテレビドラマを見るように（a．して　b．なって）……。それで、寝るのが遅くなっているんです。

② :◯さん、最近、早いですね。
　:ええ。30分早く出ることに（a．した　b．なった）んです。そうすれば、電車で座れるんです。

③ :今日はマキの誕生日だから、早く帰ってきてね。
　:わかった。早く帰るように（a．する　b．なる）よ。

④ :私は毎朝、果物のジュースを飲むように（a．して　b．なって）います。ビタミンがとれて、肌にいいんです。
　:へー、私もそうしようかなあ。

⑤ :うーん……。このレポート、もっとわかりやすく書くように（a．して　b．なって）くれる？
　:わかりました。

（Qの答え：a）

53 Aらしい　Aみたい

Q 二人は、田中さん（35歳）について話しています。👤の話すことばは、aとb、どっちが正しいですか。

👤：a．彼女は、子どもらしい、かわいい声で話すね。
　　b．彼女は、子どもみたいな、かわいい声で話すね。

👤：うん、そうだね。

「Aらしい」と「Aみたい」は、同じように使うことが多いが、全く違う意味になることもあるので、注意しよう。

Aらしい	Aみたい
1「Aらしい」は、「Aの典型、Aのイメージの代表のようだ」というときに使う。 ○ 田中さんは男らしい。 （田中さん＝男）	1「Aみたい」は、「Aにとてもよく似ている、ほとんどAだ、Aに近い」というときに使う。 ○ 田中さんは男みたいだ。 （田中さん＝女）
2 子どもらしい（Qの👤のa）： 「"子ども"ということばが持つイメージをよく表している」「子どもの典型だ」ということ。この場合、彼女は"実際に子どもである"ことを意味する。	2 子どもみたい（Qの👤のb）： 「子どもにとても似ている」「子どもに近い」ということ。この場合、彼女は"実際は子どもではない"ことを意味する。 3「Aようだ」は、「Aみたいだ」と同じ使い方ができる。 ○ 田中さんは男のようだ。 （田中さん＝女）

POINT 接続するとき、「らしい」は［い形容詞］と同じ形になり、「みたい」は［な形容詞］と同じ形になる。

○ 彼の態度はスポーツマンらしくない。
○ あの人の顔、サルみたいじゃない？　でも、目はヘビみたいに光ってる。

例文

① 👤：あの人、誰？
　 👤：ぼくがとても世話になっていてね。親みたいな人なんだ。
② 👤：昨日の試合、見た？
　 👤：イチローでしょ？　調子悪かったね。全然彼らしくなかった。
③ 👤：このスーツ、ぼくに似合うかなあ。
　 👤：うーん……。ちょっと、おじさんみたいに見えるよ。

れんしゅう

次の（　　）のa、bのうち、正しいほうを選んでください。

❶ 👤：〈テレビで〉11月1日の天気予報をお伝えします。今週も秋（a．みたいな　b．らしい）さわやかな晴れの日が続くでしょう。
　 👤：よかった。じゃ、洗たく、しよう！

❷ 👤：課長は、仕事、全部片づけてから夏休みを取ったって。
　 👤：几帳面な課長（a．みたいだ　b．らしい）ね。

❸ 👤：トマトは果物ですか、野菜ですか。
　 👤：果物（a．みたい　b．らしい）でもありますが、野菜です。

❹ 👤：先生、うちの子、遊んでばかりで、勉強しないんです。
　 👤：あまり心配しないでください。子どもは子ども（a．みたいに　b．らしく）、元気に遊ぶのが一番ですから。

❺ 👤：社長がお店に来てたんだって？
　 👤：うん。普通の客（a．みたいに　b．らしく）入って、店の中をいろいろチェックしていたそうだよ。

（Qの答え：b）

54 Aを Aに 〈助詞〉

Q 👤は👤を迎えに行きます。a．商店街、b．公園のどっちに行きますか。

👤：もしもし、道に迷っちゃった。商店街を出たら、公園に出たんだけど……。
👤：わかった。じゃ、そこにいて。迎えに行くから。

📓 「[場所] を出る」と「[場所] に出る」――。助詞「を」と助詞「に」の違いによって、この二つの「出る」の意味は異なる。

場所Aを出る	場所Aに出る
1「Aを出る」は「Aという場所から外に向かって行く」ことを表す。 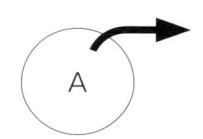	**1**「Aに出る」は「どこかの場所を離れて、Aという場所に着く・現れる」という意味。 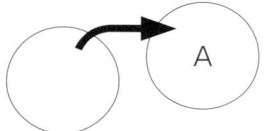
2 商店街を出た（Qの👤）：「商店街から外に出た」ということを表している。つまり、「👤は今、商店街にいない」ということになる。	**2** 公園に出た（Qの👤）：「公園に着いた」ということを表している。つまり、「👤は今、公園にいる」ということになる。
3 次も、同じように「Aを出る」の例。 ○ 午後、ちょっと家を出ます。 ○ 大学を出て、働いています。 「家を出る＝外出する」「大学を出る＝卒業する」など、「Aという場所から外に向かっていく」という意味の応用と考えていいだろう。	**3** 次の文も、同じように「Aに出る」の例。 ○ 明日は学校に出るよ。 ○ 社会に出る若者。 「学校に出る＝出席する」「社会に出る＝社会人になる」など、「着く、現れる」という意味の応用と考えていいだろう。

例文

① 🧑：もしもし、今、駐車場にいるんだけど。
　👤：じゃ、そこを出て右に曲がったら、広い道に出るから、その道をまっすぐ来て。
② 🧑：「海までドライブ」って言うから、来たのに……。ずっと山の中じゃない。
　👤：この山道を出たら、海に出るんだよ。もうちょっとがまんして。
③ 🧑：ねえ、土曜は、どこか外で食べない？
　👤：土曜は会社に出ないといけないんだよ……。あっ、でも、5時には会社を出られるから、6時ごろに待ち合わせして行こうか。

れんしゅう

次の（　）に、「に」か「を」を入れてください。

❶ 🧑：明日、事務所（　　）出たら、まず、この書類をコピーしてくれる？
　👤：はい、わかりました。

❷ 🧑：お父さん！　勝手に私の部屋に入らないで！　早く部屋（　　）出てよ。
　👤：わかった、わかった。そんなに怒るなよ。

❸ 🧑：家でゲームばかりしないで、もうちょっと街（　　）出たら？
　👤：うん……。家（　　）出るのが、面倒で。

❹ 🧑：犯人が乗った車は、現在、市内（　　）出て、国道123号線に向かって北に進んでいます。
　👤：わかりました。じゃ、123号線（　　）出たところで、つかまえましょう。

(Qの答え：b)

55 やっとA とうとうA

Q 👤と👤は、会社の研修について話しています。研修が終わったことを喜んでいるのは、👤ですか、👤ですか。

👤：今回の研修、とうとう終わったね。
👤：ほんとね、やっと終わった。

「やっとA」と「とうとうA」のAは、「長い時間のあとの結果」という意味だが、話し手の気持ちが異なるので、使い方に注意しよう。

やっとA	とうとうA
1「やっと」は、話し手が「Aになったらいいなと、長い間待ち、希望していた結果になった」という喜びの気持ちを表す。 ○ やっと、あの監督が引退した。 「(話し手が)監督が引退することを望んでいた」ことを表す。 2 やっと終わった（Qの👤）： 「終わることを望んでいた」👤の気持ちを表している。	1「とうとう」は、「長い時間を経て、最後の時・段階が来た」「いろいろなことがあったが、最後にこういう結果になった」という意味。このことば自体に喜びや悲しみの意味はない。 ○ とうとう、あの監督が引退した。 「引退した」という結果について、「来るべき時が来たな」と感じている。 2 とうとう終わった（Qの👤）： 「長かった研修が終わった」ということを表したもので、喜んでいるかどうかまでは、わからない。

POINT 「やっとA」に似ている表現には「ようやくA」、「とうとうA」に似ている表現には「ついにA」がある。「やっと・ようやくA」のAの部分に「〜ない」は使わないが、「とうとう・ついにA」のAには、「〜た」「〜なかった」の両方を使う。

(1) やっと春らしくなったね。／ようやく順番が来た。
(2) とうとう私の番になった。／ついにできなかった。

例文

① 👤：バス、遅いね。まだかなあ。
　👤：あ、来た、来た！　やっと来たよ。
② 👤：君も、とうとう会社をやめるのか。
　👤：はい。いろいろお世話になりました。
③ 👤：田中さん、とうとう来なかったね。
　👤：うん、どうしたんだろう？　連絡もしないで。

れんしゅう

次の（　　）に、「やっと」か「とうとう」を入れてください。

❶ 👤：どうしたの？　元気ないね。
　👤：うちの店、（　　　　　）閉めることになったんだ。

❷ 👤：あ、雨だ！　嫌だな。
　👤：ほんとだ。朝から曇っていたけど、（　　　　　）降りはじめたね。

❸ 👤：部長のスピーチ、今日も長いなあ。
　👤：うん。……あ、（　　　　　）終わりそう。

❹ 👤：あの人、毎日残業していたけど、（　　　　　）病気になったって。
　👤：やっぱり……。

❺ 👤：この部屋とも（　　　　　）お別れか……。古くてせまい部屋だったけど、ちょっとさびしいなあ。
　👤：そうね。でも、（　　　　　）引っ越しができて、うれしい。

(Qの答え：👤)

まとめの問題

1 次の（　）に入るものを、下の□□から選んでください。

❶ 👤：会議、月曜日がいい？　火曜日がいい？
　👤：月曜日（　　）都合が悪いけど、火曜日（　　）いいよ。

❷ 👤：わあ、見て、あの星！　あれ（　　）何？　金星？
　👤：あれ（　　）違うよ。金星（　　）あっちだよ。

❸ 👤：この電車は品川（　　）止まりますか。
　👤：この電車（　　）止まりません。止まるの（　　）あれです。

❹ 👤：おかげさまで、この春、大学（　　）卒業します。
　👤：もう卒業⁉　……社会（　　）出ると厳しいからね。がんばって。

❺ 👤：すみません、はさみ（　　）あったら、貸していただきたいんですが。
　👤：はさみ（　　）その引き出しの中です。

a．は　b．が　c．に　d．を　e．なら

2 次の（　）に入るものを、下の□□から選んでください。

❶ 👤：アメリカに行ったことは、ありますか。
　👤：ええ。でも私、ハワイ（　　）行ったことがないんです。

❷ 👤：この絵、すごいね。
　👤：うん、鉛筆（　　）でかいてあるんだって。

❸ 👤：安全の（　　）、シートベルトをしてください。
　👤：はい、わかりました。

❹ 👤：あの*ピッチャー、すごいんだって。
　👤：プロ（　　）ボールを投げるらしいよ。

*ピッチャー：野球(baseball)でボールを投げる人。

❺ 👤：暖かくなりましたね。
　👤：そうですね。今日は春の（　　）いい天気ですね。

a．だけ　b．しか　c．ような　d．みたいな　e．ために

第1回

3 次の（　）に入るものを、下の□□から選んでください。

① 👤：ストーブをつけた（　　　　）出かけたら、危ないよ。
　 👤：ごめんなさい。すぐ戻るつもりだったから……。

② 👤：見て！　生まれた（　　　　）の子猫の赤ちゃん。
　 👤：わあ、かわいい!!

③ 👤：夏休み、どこへ行きたい？
　 👤：行った（　　　　）ところに行きたいな。

④ 👤：仕事、終わった？
　 👤：うん、たった今、終わった（　　　　）。

⑤ 👤：お礼の手紙って、何を書いた（　　　　）のか、教えて。
　 👤：「お世話になりました」って書くんだよ。

| a．ことがない　　b．まま　　c．ところ　　d．ばかり　　e．らいい |

4 次の（　）のa、bのうち、正しいほうを選んでください。

① 👤：空いっぱいの *星空を見たいな。
　 👤：星を（a．見るなら　b．見たら）、町から離れた山の中がいいよ。
　*星空：星がたくさんの空。

② 👤：来週、出張でしょ？　もう切符買った？
　 👤：忘れてた。今週（a．までに　b．中に）買っておかなきゃ。

③ 👤：お昼ご飯はどうします？　いっしょに食べに行きませんか。
　 👤：ごめんなさい……実は、健康のために自分でお弁当を作るように（a．して　b．なって）いるんです。

④ 👤：大切に使ってきたパソコンが（a．やっと　b．とうとう）壊れてしまいました。
　 👤：そうですか。でも、今はちょうど、*買い時だから、よかったんじゃないですか。
　*買い時：安くなって、買うのにいい時。

⑤ 👤：あの人、何でも知ってる（a．みたいな　b．らしく）顔して話すから、いやな感じ。
　 👤：一流大学を出たから、頭はいいんでしょうけど。でもね……。

⑥ 👤：引っ越したんでしょう？　新しい部屋はどう？
　 👤：アパート（a．に　b．を）出たところにコンビニとかスーパーがあるから、とても便利です。

まとめの問題

1 次の（　）に入るものを、下の□から選んでください。

❶ 👤：夫はいつも、私が掃除をしている（　　　　）、テレビを見ているんです。
　👤：えーっ、手伝ってくれないんですか？
❷ 👤：夫はいつも、私が買い物に行っている（　　　　）掃除をしてくれるんです。
　👤：へー、やさしいですね。
❸ 👤：そのセーター、いいね。いつ買ったの？
　👤：東京へ行った（　　　　）、銀座で買ったんです。
❹ 👤：この資料、会議が始まる（　　　　）コピーしておいてくれない？
　👤：はい、わかりました。
❺ 👤：朝は忙しいから、いつも朝食を食べ（　　　　）着替えているよ。
　👤：だめよ、ゆっくり食べなきゃ。

　　　a．とき　　b．ながら　　c．あいだ　　d．までに　　e．あいだに

2 次の（　）に入るものを、下の□から選んでください。

❶ 👤：J航空の*株価が（　　　　）7円にまで下がってしまったね。
　👤：株を持ってる人は、ショックだろうね。
　＊株価：株（stock／股份／주）の値段。
❷ 👤：この前いただいたトマト、おいしかったです。でも、いいですね、庭でいろいろな野菜がとれて。
　👤：はい。（　　　　）たくさんあげたかったんですが、今年はあまりとれなくて……。
❸ 👤：あ、そのネクタイ……。
　👤：そう、君がくれたやつ。（　　　　）会社にして行ったら、みんなにほめられたよ。
❹ 👤：今日は出かけないの？
　👤：うん……。この前受けた面接の結果*通知を（　　　　）待ってるんだけど、まだ来なくて。
　＊通知：知らせること。
❺ 👤：（　　　　）雨がやみましたね。
　👤：ええ、晴れてきましたね。

　　　a．もっと　　b．さっそく　　c．やっと　　d．とうとう　　e．ずっと

126

第2回

3 次の（ ）に入るものを、下の☐から選んでください。

① 👤：東京に行っても、連絡くれよ。
　👤：うん、ときどきメールする（　　　　　）。

② 👤：この薬は、寝る前に飲む（　　　　　）。
　👤：はい、わかりました。

③ 👤：何回やっても失敗ばかりで、自信なくしちゃうよ。
　👤：あきらめなければ、そのうちできる（　　　　　）よ。

④ 👤：田中さん、まだ会社にいる（　　　　　）ね。3階の電気がついています。
　👤：ほんとだ。まだ忙しいんだね。

⑤ 👤：レポートに使うデータは、どうするつもり？
　👤：図書館に行って、調べ（　　　　　）んだ。

```
a．ようです    b．ようと思う    c．ようにする
d．ようになる  e．ようにしてください
```

4 次の（ ）のa、bのうち、正しいほうを選んでください。

① 👤：沖縄って、（a．行く　b．行った）ことないんです。
　👤：私も。海がすごくきれいなんでしょ？　行ってみたいなあ。

② 👤：冬休みは、何をしてた？
　👤：友達とスキーに行ってきた。（a．うれしかった　b．たのしかった）よ。

③ 👤：東京へ行く（a．ために　b．のに）、どうしてバスを使うの？
　👤：寝ているあいだに着くから楽だし、とにかく、安いから。

④ 👤：やっと退院できました。お見舞い、ありがとうございました。
　👤：そうですか。それは（a．よかった　b．いい）ですね。

⑤ 👤：東京へ（a．行った　b．行く）ときに、ぜひ、そこに寄ろうと思っています。
　👤：東京で今、人気のお店ですからね。

⑥ 👤：いらっしゃい。どうぞ、中に（a．入って　b．入るようにして）ください。
　👤：はい、おじゃまします。

⑦ 👤：ここに自転車を止めてもいいですか。
　👤：そこはだめです。自転車はドアの（a．よこ　b．となり）に止めておいてください。

まとめの問題

次の（　）に入ることばを「あげる・くれる・もらう」の中から一つ選んでください。また、必要なら、形を変えてください。

❶ 👤：わあ、おいしそうなジャガイモ。
　👤：これ、北海道のおばあちゃんが送って（　　　　　）の。

❷ 👤：私が買って（　　　　　）くつ、どうしてはかないの？
　👤：あれ、ちょっと小さかったんだ。

❸ 👤：どうしたの？
　👤：先生に貸して（　　　　　）本がないんだよ。

❹ 👤：今日、電車の中でおじいさんに席を*ゆずって（　　　　　）のに、座って（　　　　　）たんだよ。
　👤：そんな人もいるよ。
　※ゆずる：offer ／ 转让 ／ 양보한다

❺ 👤：引越しするの？　じゃ、手伝って（　　　　　）か。
　👤：ありがとう。でも、兄が手伝って（　　　　　）って言うから、いいよ。

❻ 👤：日本の着物、一人で着られる？
　👤：ううん、着せて（　　　　　）ないと、着られない。

❼ 👤：わあ、着物、きれいだね。*写真館で写真とって（　　　　　）たら？
　👤：うん、そうするわ。
　※写真館：写真をとる店。

❽ 👤：旅行のお金、持って来るのを忘れたので、明日まで待って（　　　　　）ないでしょうか。
　👤：わかりました。

❾ 👤：パーティーの食べ物、どうする？
　👤：田中さん、料理が上手らしいから、彼女に作って（　　　　　）ましょう。

第3回

⑩ 👤：お母さんとお父さん、どっちが好き？
👤：お母さん!! だって、おいしいケーキを焼いて（　　　　）から。

⑪ 👤：すみません、今度の日曜のゴルフ、せっかく誘って（　　　　）んですが、都合が悪くなりまして……。
👤：そうですか、残念ですね。

⑫ 👤：辞書が必要になったら、いつでも言って。貸して（　　　　）から。
👤：ありがとう。

⑬ 👤：林さんに教えて（　　　　）このレストラン、すごくおいしいよ。
👤：へえ、行ってみたいな。

⑭ 👤：国の友達が日本に来たので、明日、京都を案内して（　　　　）んです。
👤：そうですか。

⑮ 👤：あ、机の上、だれが片づけて（　　　　）の？
👤：私が片づけて（　　　　）のよ。

129

まとめの問題

次のa～cのうち、正しいものを選んでください。

❶ ：今度の日曜日、家にいる？
　：a．まだ、わかりません。
　　b．まだ、知りません。
　　c．まだ、決めません。

❷ ：駅まで一人で行けましたか。
　：a．いえ、わからないで、交番で聞きました。
　　b．いえ、わからなかったら、交番で聞きました。
　　c．いえ、わからなくて、交番で聞きました。

❸ ：ジョギングに行ってきます。
　：a．今日は寒いから、やめればいいですよ。
　　b．今日は寒いから、やめたほうがいいですよ。
　　c．今日は寒いから、やめたらいいですよ。

❹ ：先月、娘に子どもが生まれたんです。
　：a．それはよかったですね。初めてのお孫さんですね。
　　b．それはいいですね。初めてのお孫さんですね。
　　c．それはいいでしょうね。初めてのお孫さんですね。

❺ ：先生、宿題は明日、出したほうがいいですか。
　：a．いいえ、明日出さなくてもいいですよ。
　　b．いいえ、明日出さないほうがいいですよ。
　　c．いいえ、明日出さないかもしれませんよ。

❻ 👤：ここでタバコを吸ってもいいですか。
　👤：a．それはちょっと、ご遠慮ください。
　　　 b．それはちょっと、吸ってはいけません。
　　　 c．それはちょっと、吸わないことにしてください。

❼ 👤：お誕生日おめでとう!!　はい、これ、プレゼント。
　👤：a．わー、ありがとう。たのしい。
　　　 b．わー、ありがとう。うれしい。
　　　 c．わー、ありがとう。たのもしい。

❽ 👤：ちょっと、誰か手伝って！
　👤：a．はい、さっそく行きます。
　　　 b．はい、すぐ行きます。
　　　 c．はい、きっと行きます。

❾ 👤：大学*受験に失敗したら、どうしよう。
　👤：a．あんなに勉強したんだから、落ちないと思うよ。
　　　 b．あんなに勉強したんだから、落ちないつもりだよ。
　　　 c．あんなに勉強したんだから、落ちないかもしれないよ。

＊受験：試験を受けること。

❿ 👤：田中さん、入院したそうですよ。
　👤：a．この人、たくさんお酒飲んでいたからね。
　　　 b．その人、たくさんお酒飲んでいたからね。
　　　 c．あの人、たくさんお酒飲んでいたからね。

まとめの問題

次のa～cのうち、正しいものを選んでください。

❶ 👤：この機械の使い方、わかる？　大丈夫？
　👤：a．いいえ。教えてもらえますか。
　　　b．いいえ。教えてもらいますか。
　　　c．いいえ。教えてもらってますか。

❷ 👤：私のうで時計は？
　👤：a．テレビに置いたよ。
　　　b．テレビのとなりに置いたよ。
　　　c．テレビのよこに置いたよ。

❸ 👤：a．あした、私のうちに来ますか。
　　　b．あした、私のうちに行きますか。
　　　c．あした、私のうちに帰りますか。
　👤：ええ、行きます。

❹ 👤：失礼ですが、田中さんですね。
　👤：a．そうですね。
　　　b．そうですか。
　　　c．そうですよ。

❺ 👤：どうしたんですか。
　👤：a．弟に大切な時計を壊されたんです。
　　　b．私の大切な時計は弟に壊されたんです。
　　　c．弟は私の大切な時計を壊したんです。

❻ 🧑：7時のニュース、もう終わりましたか。
　👤：a．ええ、もう終わりました。
　　　b．ええ、もう終わったところです。
　　　c．ええ、もう終わったんです。

❼ 🧑：この鳥って、最近、この辺で見る？
　👤：a．昔は見たことあるけど、今は見えないな。
　　　b．昔は見たことあるけど、今は見られないな。
　　　c．昔は見たことあるけど、今は見たことないな。

❽ 🧑：行ってきまーす。
　👤：a．寒いからコートを着ながら、行きなさい。
　　　b．寒いからコートを着て行きなさい。
　　　c．寒いからコートを着たまま行きなさい。

❾ 🧑：いらっしゃいませ。
　👤：a．これ、昨日買ったんですけど、汚れているので、かえてください。
　　　b．これ、昨日買ったんですけど、汚してあるので、かえてください。
　　　c．これ、昨日買ったんですけど、汚しておくので、かえてください。

❿ 🧑：この写真、どこで撮ったんですか。
　👤：a．東京へ行っているとき、浅草で撮りました。
　　　b．東京へ行くとき、浅草で撮りました。
　　　c．東京へ行ったとき、浅草で撮りました。

まとめの問題

次の（　）のa、bのうち、正しいほうを選んでください。

❶ 🧑：冬の*日本海の写真？　寒（a．がっている　b．そうだ）ね。
　 🧑：うん、本当に寒かったんだ。
　　＊日本海：日本の北側にある海の名前。

❷ 🧑：明日のパーティー、何時に（a．行ったら　b．行ったほうが）いい？
　 🧑：7時ちょうどに始まるから、10分前くらいに来て。

❸ 🧑：くつを（a．はかないで　b．はかなくて）フロントに行ったんですか。
　 🧑：気がついたら、スリッパのままだったんです。

❹ 🧑：日本語がわからないときは、どうするの？
　 🧑：誰かに（a．教えられ　b．教えてもらい）ます。

❺ 🧑：誰か、私のケータイ、（a．知らない　b．わからない）？
　 🧑：ああ、さっき田中さんが、受付に届けに行ったよ。

❻ 🧑：昨日、誰（a．が　b．は）来ましたか。
　 🧑：昨日は、田中君と山下さんと……そうそう、山田君も来ました。

❼ 🧑：また、その歌、歌うの？　ほかのにしたら？
　 🧑：でも、私、この歌（a．しか歌えない　b．だけ歌える）のよ。

❽ 🧑：わー、おいしそうなアップルパイ！
　 🧑：今、買ってきた（a．ところ　b．ばかり）の*アツアツだよ。
　　＊アツアツ（熱々）：とても熱いこと。

❾ 🧑：ちょっと気持ち悪くなってきた……。
　 🧑：飲み過ぎだよ。もう帰った（a．ほうがいい　b．らいい）よ。

❿ 🧑：立たなくても結構です。どうぞ、（a．座ったまま　b．座りながら）で、お話しください。
　 🧑：では、そうさせてもらいます。

第6回

⑪ 🧑：いい会社に就職ができる（a．ために　b．ように）、何かやってる？
　👤：うん、学校が終わってから、パソコンの勉強に行ってる。

⑫ 🧑：昨日、彼の部屋に行ったんでしょう？　どうだった？
　👤：きれいだったよ。ちゃんと掃除がして（a．いて　b．あって）、びっくりした。

⑬ 🧑：この前、テレビを見て（a．いたら　b．いるとき）、この店が紹介されていたよ。
　👤：ここは人気あるからね。雑誌でもよく見るし。

⑭ 🧑：口の周りに何かついてるよ。
　👤：遅刻しそうだったから、さっき、（a．走りながら　b．走って）パンを食べたんだ。

⑮ 🧑：お母さん、お父さんの髪も、だいぶ（a．白に　b．白く）なったね。
　👤：お父さんも苦労しているのよ。

⑯ 🧑：友達が日本に来ている（a．あいだ　b．あいだに）、一度、京都に連れていくよ。
　👤：それはいいわね。ついでに大阪も見てきたら？

⑰ 🧑：＊新年会は、部長の希望で、すし屋でやることに（a．した　b．なった）そうだよ。
　👤：やったー！

＊新年会：新しい年を祝う会。

⑱ 🧑：今日は（a．あの　b．その　c．この）かばんにしなかったの？
　👤：この服とは、ちょっと合わないと思って……。

⑲ 🧑：あの選手は、私たちと同じ高校だったよね？
　👤：うん、（a．あの　b．その　c．この）ころは、毎日いっしょにサッカーしてたなあ。

⑳ 🧑：えっ、会議のこと、忘れたの？（a．すぐ　b．さっそく）課長に謝ったほうがいいよ。
　👤：はい、そうします。

135

まとめの問題

次の（　）に、自動詞か他動詞を正しい形にして、入れてください。

❶ 入る・入れる
　a．ここは*立入禁止です。（　　　　）ないでください。
　b．魚とお肉は、すぐ冷蔵庫に（　　　　）てください。
　　＊立入禁止：入ってはいけないこと。

❷ 倒れる・倒す
　a．あー、疲れた。ふらふらで（　　　　）そうだ。
　b．彼は新人なのに、世界チャンピオンを（　　　　）てしまった。

❸ 落ちる・落とす
　a．あ、イヤリングがない。どこで（　　　　）たんだろう。
　b．こういう油の汚れは、なかなか（　　　　）ないですね。

❹ 冷える・冷やす
　a．暑いから、このお茶、（　　　　）ておこう。
　b．故障しているのかなあ。このエアコン、なかなか（　　　　）ない。

❺ 切れる・切る
　a．この糸は細いから、すぐに（　　　　）ちゃうよ。
　b．髪、（　　　　）たんだね。その髪型、すごくいいよ。

❻ 出る・出す
　a．みなさん、この宿題は来週月曜日までに（　　　　）てください。
　b．新しく（　　　　）たCDはすごい人気で、売り切れになるかもしれません。

❼ 乗る・乗せる
　a．北海道へ行ったとき、初めて馬に（　　　　）てもらったけど、怖かったわ。
　b．あなたの家に行くとき、どの駅から（　　　　）たらいいの？

第7回

❽消える・消す
　a．あんないやなこと、すぐに忘れたいのに、なかなか記憶から（　　　　）ないんだよね。
　b．先生、黒板の字、（　　　　）ないでください。まだ、書いてないんです。

❾開く・開ける
　a．このふた、固くて（　　　　）ない。
　b．このふた、（　　　　）てくれない？

❿止まる・止める
　a．だめだめ、ここに自転車を（　　　　）ちゃ。みんなの迷惑でしょ！
　b．あのう、この電車、横浜に（　　　　）ますか。

⓫閉まる・閉める
　a．あー、遅かった！　銀行、（　　　　）ちゃったよ。
　b．ねぇ、ドア、（　　　　）てよ。寒いじゃない！

⓬かかる・かける
　a．おかしいなあ。友達から電話が（　　　　）てくるはずなんだけどなあ。
　b．あっ、部屋のかぎ、（　　　　）てくるの、忘れちゃった！

まとめの問題

次の（　）に、自動詞か他動詞を正しい形にして、入れてください。

❶ 壊れる・壊す
　　a．これ、（　　　　　）やすいから、運ぶとき、気をつけてください。
　　b．弟が私のパソコン、（　　　　　）ちゃったのよ。

❷ 上がる・上げる
　　a．最近は*インフレで、いろいろなものの値段が（　　　　　）て困る。
　　b．答えがわかった人は手を（　　　　　）てください。
*インフレ（インフレーション）：inflation／通貨膨脹／인플레

❸ 決まる・決める
　　a．彼は、ほかのチームに移ることに（　　　　　）たらしい。
　　b．赤でも黒でもいいから、早く（　　　　　）てよ。

❹ 始まる・始める
　　a．急がないと、映画がもう（　　　　　）ちゃう。
　　b．私は少し遅れて行くから、先に会議を（　　　　　）ておいて。

❺ 見つかる・見つける
　　a．朝から探しているんだけど、財布が（　　　　　）なくて……。
　　b．私、赤い帽子をかぶっていくから、すぐ（　　　　　）られると思う。

❻ 集まる・集める
　　a．はい、集合！　みなさん、ここに（　　　　　）てください。
　　b．そのマッチ、くれない？　私、趣味で（　　　　　）ているんだ。

❼ 終わる・終える
　　a．部長の話、長いなー。いつ（　　　　　）んだろう。
　　b．皆さんのおかげで、無事、この仕事を（　　　　　）ことができました。

第8回

❽ 変わる・変える
a．久しぶりに故郷に帰ったら、町の様子が、すっかり（　　　　　）ていた。
b．勝手にチャンネルを（　　　　　）ないで。見てるんだから。

❾ 助かる・助ける
a．来てくれて、（　　　　　）た。一人でどうしようと思ってたんだ。
b．あの小学生たち、小さい子どもを川から（　　　　　）たんだって。

❿ 混じる・混ぜる
a．卵とバターを、柔らかくなるまで（　　　　　）ください。
b．夫は、子どもたちに（　　　　　）て、サッカーをしていました。

⓫ そろう・そろえる
a．みなさん、（　　　　　）ましたか。出発しますよ。
b．人の家に*上がるとき、くつを（　　　　　）のは*常識です。

＊（家に）上がる：人の家の中に入ること。
＊常識：common sense／常识／상식

⓬ 付く・付ける
a．ケーキを作っていたら、クリームが手にいっぱい（　　　　　）ちゃった。
b．よくわかるように、地図に印を（　　　　　）おきましょう。

まとめの問題

次の（　）に、自動詞か他動詞を正しい形にして、入れてください。

❶届く・届ける
　a．本を注文したんですか。今朝（　　　　　　）荷物の中にはなかったですよ。
　b．田中さん、これ、山下さんに（　　　　　　）てくれる？

❷並ぶ・並べる
　a．順番に（　　　　　　）ください。押さないでください。
　b．きれいに（　　　　　　）あるね、本棚。整理が得意なんだ。

❸育つ・育てる
　a．この花、明るい場所に置いたほうが、よく（　　　　　　）よ。
　b．きれいに咲きましたね、この花。（　　　　　　）の、大変だったでしょ？

❹建つ・建てる
　a．今、駅前に（　　　　　　）ているスーパー、いつ完成なの？
　b．あそこのマンション、だんだん（　　　　　　）てきたね。

❺続く・続ける
　a．興味が（　　　　　　）ないようだったら、やめたほうがいいですよ。
　b．日本語の勉強は、これからもずっと（　　　　　　）つもりです。

❻折れる・折る
　a．このシャーペン、すぐ*芯が（　　　　　　）る。ほかのは、ない？
　b．この紙は、3つに（　　　　　　）、封筒に入れてください。

*芯：ものの中心の部分。

❼焼ける・焼く
　a．海に行ってきたの？　よく（　　　　　　）ているねえ。
　b．この魚は、両面を3分ずつ（　　　　　　）てください。

❽割れる・割る
　　a．このグラスは（　　　　　　）やすいから、気をつけて運んで。
　　b．さっき、お皿、（　　　　　　）ちゃった。結構高いやつだから、ショック。

❾治る・治す
　　a．今年の風邪は（　　　　　　）にくいらしいよ。気をつけないとね。
　　b．あの先生に見てもらうのがいいよ。きっと（　　　　　　）てくれるって。

❿戻る・戻す
　　a．ご覧になった本は、元の場所に（　　　　　　）てください。
　　b．すぐに（　　　　　　）ますので、ここで待っていてください。
　　＊ご覧になる：「見る、読む」の敬語（honorific／敬语／경어）。

⓫通る・通す
　　a．年を取ると、針に糸を（　　　　　　）にくくなるね。
　　b．国道沿いだから、車の（　　　　　　）音がうるさい。

⓬残る・残す
　　a．これは体にいいから、（　　　　　　）ないで、全部食べてください。
　　b．田中さんは、もうちょっと（　　　　　　）くれる？　手伝ってほしいことがあるから。

⓭回る・回す
　　a．このスーツケースはもう古くて、タイヤがうまく（　　　　　　）なくなったんです。
　　b．部屋の温度を上げたいときは、これを右に（　　　　　　）といいんですね。

まとめの問題

次の（　）に、自動詞か他動詞を正しい形にして、入れてください。

❶ 渡る・渡す
　a．道路を（　　　　　）ときは、左右をよく見てください。
　b．この川に橋を（　　　　　）ときは、大変な工事だったそうだ。

❷ 汚れる・汚す
　a．この（　　　　　）シャツは誰の？
　b．誰がこんなにテーブル、（　　　　　）ちゃったの？　きれいにしてよ。

❸ 増える・増やす
　a．基本料金を下げてから、利用客が、どんどん（　　　　　）ています。
　b．お金がいるから、アルバイトに行く日を（　　　　　）そうと思ってるんだ。

❹ 燃える・燃やす
　a．今日は空気が乾いているから、よく（　　　　　）ね。
　b．昔の恋人からもらった手紙は、みんな（　　　　　）ちゃったよ。

❺ 起きる・起こす
　a．息子は毎晩遅くまで（　　　　　）ています。早く寝たほうがいいんですけどね。
　b．娘はどんなに（　　　　　）ても、一回では起きないんです。

❻ 動く・動かす
　a．何か事故があったみたいで、今、電車は（　　　　　）ていません。
　b．このテーブル、そっちへ（　　　　　）たいんだけど、手伝ってくれない？

❼ 減る・減らす
　a．こんなに食べられないよ。少し、（　　　　　）て。
　b．運動しているのに、ちっとも*体重が（　　　　　）ない。

*体重：体の重さ。

❽なくなる・なくす
　a．薬を飲んだら、痛みはすぐに（　　　　　）た。
　b．大切にしていたペン、どこかで（　　　　　）てしまったみたい。

❾下がる・下げる
　a．これを買いたいんだけど、なかなか値段が（　　　　　）ないんだよ。
　b．最近は、ズボンを少し（　　　　　）てはくのが流行らしい。

❿破れる・破る
　a．あの人のズボン、お尻のところが、ちょっと（　　　　　）てる。
　b．今日、テストが返ってきたけど、あまりに点が悪かったから、（　　　　　）て捨てた。

⓫固まる・固める
　a．〈料理教室で〉……最後に、冷蔵庫に入れて、（　　　　　）ます。
　b．早く*かき混ぜないと、（　　　　　）てしまいます。
　*かき混ぜる：道具を使って、混ざるようにすること。

⓬降りる・降ろす
　a．荷物、車から（　　　　　）の、手伝って。
　b．お客様、足元に気をつけて、ゆっくり（　　　　　）てください。
　*足元：足のあたり。

⓭離れる・離す
　a．怖いんだから、絶対、手を（　　　　　）ないでよ。
　b．（　　　　　）て暮らしていると、家族の大切さが、すごくよくわかる。

●著者

岡本牧子 おかもと　まきこ　（大阪YWCA日本語教師会会員）
氏原庸子 うじはら　ようこ　（大阪YWCA日本語教師会会員）

レイアウト・DTP　ポイントライン
カバーデザイン　　滝デザイン事務所
イラスト　　　　　白須道子
翻　　訳　　　　　Darryl Jingwen Wee ／李炜／崔明淑
編集協力　　　　　高橋尚子

くらべてわかる　初級日本語表現文型ドリル

平成22年（2010年）　3月10日　　初版第1刷発行
平成31年（2019年）　4月10日　　　　第3刷発行

著　者　岡本牧子・氏原庸子
発行人　福田富与
発行所　有限会社　Ｊリサーチ出版
　　　　〒166-0002　東京都杉並区高円寺北 2-29-14-705
　　　　電話　03(6808)8801(代)　FAX 03(5364)5310
　　　　編集部　03(6808)8806
　　　　http://www.jresearch.co.jp
印刷所　株式会社廣済堂

ISBN 978-4-86392-004-0　　禁無断転載。なお、乱丁、落丁はお取り替えいたします。
© Okamoto, Ujihara 2010 Printed in Japan

くらべてわかる　初級日本語表現文型ドリル

問題の答えと語句の訳

Answers to questions and
translations of words and phrases

问题的答案和语句翻译

문제의 답과　어구 번역

問題の答え ……… 2

語句の訳
◆説明文
descriptions／说明文／설명문 ……… 6

◆問題と例文
questions and example sentences／单词和例文／문제와 예문 ……… 11

問題の答え

れんしゅう

1 ①あいだ ②あいだに
③あいだに，あいだ ④あいだに
⑤あいだに

2 ①a ②a ③a ④b ⑤a

3 ①a ②b ③a ④a ⑤b

4 ①b ②a ③a ④b

5 ①何を話せばいい？
②いつ捨てればいい？
③だれに聞けばいいですか。
④どこで買えばいいですか。
⑤どうやって作ればいい？

6 ①a ②a ③b ④a

7 ①a ②a ③a ④b

8 ①b ②a ③a ④b ⑤b

9 ①a，c ②b ③c，c ④a，b
⑤b，b

10 ①b，b ②b，b，c ③b，b，b

11 ①③④⑤⑧

12 1 ①私は赤ちゃんに泣かれました。
②私は田中さんに仕事を手伝ってもらいました。
③私は森さんにパソコンの使い方を教えてもらいました。
④私は兄に日記を読まれました。
⑤子どもたちは先生に本を読んでもらいました。
⑥おじさんは鳥にぼうしを取られました。
⑦私たちは林さんに写真をとってもらいました。
⑧私は田中さんに病院へつれて行ってもらいました。
⑨私は田中さんに病院へつれて行かれました。
2 ①a ②b

13 1 ①しまり ②しめ ③あき ④あけ
⑤おち ⑥おとし
2 ①a ②a ③b ④b ⑤b

14 ①〇 ②× ③× ④〇 ⑤〇

15 ①わからない ②わかりません
③知りません ④知りません，わからない
⑤知らない

16 ①b ②a ③a ④b

17 ①a ②b ③a ④a ⑤b ⑥a

18 ①b ②a ③a ④a ⑤b ⑥b

19 ①a ②a ③a ④a ⑤b ⑥a，b

20 ①a ②b ③a ④a ⑤a

21 ①a ②a／b ③b ④a／b ⑤a

22 ①（くらいから電気を）つけたほうがいいですよ。
②（しゅくだいは明日）持ってくればいいですよ。
③病院へ行って、くすりを飲んだ／もらったほうがいいですよ。
④やさいを食べたほうがいいですよ。
⑤けいさつ／こうばんに行ったほうがいいですよ。
⑥タクシーで行けばいいですよ。／タクシーを使ったほうがいいですよ。

23 1 ①a ②b ③b ④b ⑤a ⑥a
2 ①くつをはいたまま、部屋に入ってはいけません。
②ドアをあけたまま、出てはいけません。
③電気をつけたまま、寝てはいけません。
④すわったまま、あいさつをしてはいけません。
⑤めがねをかけたまま、寝てはいけません。ネクタイをしたまま、寝てはいけません。
⑥服を着たまま、シャワーをあびてはいけません。

24 ①a ②b ③a ④b ⑤b，a ⑥a

25 ①a ②b ③b ④b ⑤a，a

26 ①a ②a ③a ④a ⑤a，a

27 ①a ②a ③b ④b

28 ①コンビニへジュースを買いに行く。
②コンビニでジュースを買って行く。
③ゆうびんきょくへ切手を買いに行く。
④ぎんこうでお金をおろして行く。
⑤北海道へスキーに行く。
⑥うちでごはんを食べていく。

29 ①b ②a ③a ④a ⑤b，b

30 1 ①ある ②いる ③ある ④いる
　　　⑤いる ⑥いる ⑦いる
　　2 ①いる ②ある，いる ③いる ④ある

31 ①a，a ②a ③a，a/b
　　④a/b，a ⑤b

32 ①すみません、ちょっと……。
②だめ！　入らないで！
③いえ、入らないでください。
④いえ、見てはいけません。
⑤すみません、ご遠慮ください。
⑥いえ、とめてはいけません。
⑦ごめん、ちょっと……。
⑧すみません、ちょっと……。

33 ①あげる ②くれる ③もらい
④もらって ⑤あげます ⑥くれた
⑦くれる，あげ，もらう/もらって

34 ①b ②a ③b ④a ⑤b ⑥a

35 ①a ②a ③b ④a ⑤b

36 ①a ②b ③a/b ④a ⑤a，a/b

37 1 ①b ②a ③b ④b ⑤b ⑥a
　　2 ①b ②a ③b ④b ⑤b

38 ①いえ、弁当を持ってこなくてもいいです。
②甘いものを食べないほうがいいです。
③行かないほうがいいです。
④漢字で書かなくてもいいです。

39 ①ギターをひきながら、うたう。
②テレビを見ながら、パンを食べる。
③めがねをかけて本を読む。
④エコバッグを持ってスーパーへ行く。
⑤かさをさしてバスを待つ。
⑥けいたいでんわで話しながら、歩く。
⑦ぼうしをかぶって歩く。
⑧ネクタイをして行く。
⑨自転車に乗りながら、メールをする。

40 1 ①b ②d ③e ④f ⑤a ⑥c
　　2 ①a ②b ③a ④a ⑤b

41 ①(1)a　(2)a　②(1)b　(2)b
　　③(1)a　(2)b　④(1)a　(2)b

42 ①a 来(き)/来(こ)られ　b 行(い)き
②a 来(く)る　b 来(き)　c 行(い)け
③a 来(き)て　b 行(い)き
④a 来(く)る　b 行(い)く　c 来(き)
⑤a 来(く)る　b 来(き)た

43 ①a，a ②a，b，b ③a，b，b，a
　　④b，b，a，b

44 1 ①は ②が，は，が，は ③が
　　　④は，は，が
　　2 ①a，a ②a

45 ①が，は ②は，が ③が，が ④が，が
　　⑤は，は

46 ①トムさんは子どもに服を汚された。
②わたしはたなかさんにテストを見られた。
③トムさんは女の人に足をふまれた。
④わたしはしらない人に道を聞かれた。
⑤わたしはおとうとにカメラをこわされた。
⑥わたしは犬に手をかまれた。

47 1 ①a ②b ③a ④b ⑤a

48 1 ①までに ②中に ③中に ④までに
　　2 ①b ②a ③c

49 ①a ②a ③b ④a ⑤b ⑥a
　　⑦a ⑧b

50 ①ずっと ②ずっと ③もっと
④もっと ⑤ずっと

51 ①a ②a ③a ④b ⑤a ⑥a

52 ①b ②a ③a ④a ⑤a

53 ①b ②b ③a ④b ⑤a

54 ①に ②を ③に，を ④を，に

55 ①とうとう ②とうとう ③やっと
④とうとう ⑤とうとう，やっと

まとめの問題

第1回
1 ①a, e ②a, a, a ③c, a, a
　④d, c ⑤b, a
2 ①b ②a ③e ④d ⑤c
3 ①b ②d ③a ④c ⑤e
4 ①a ②b ③a ④b ⑤a ⑥b

第2回
1 ①c ②e ③a ④d ⑤b
2 ①d ②a ③b ④e ⑤c
3 ①c ②e ③d ④a ⑤b
4 ①b ②b ③b ④a ⑤a ⑥a
　⑦a

第3回
①くれた ②あげた ③もらった
④あげた, くれなかっ ⑤あげよう, くれる
⑥もらわ ⑦もらっ ⑧もらえ ⑨もらい
⑩くれる ⑪もらった ⑫あげる
⑬もらった ⑭あげる ⑮くれた, あげた

第4回
①a ②c ③b ④a ⑤a ⑥a ⑦b
⑧b ⑨a ⑩c

第5回
①a ②c ③a ④c ⑤a ⑥a ⑦b
⑧b ⑨a ⑩c

第6回
①b ②a ③a ④b ⑤a ⑥a ⑦a
⑧b ⑨a ⑩a ⑪b ⑫b ⑬a ⑭a
⑮b ⑯b ⑰b ⑱a ⑲a ⑳a

第7回
① a 入(はい)ら　　b 入(い)れ
② a 倒(たお)れ　　b 倒し
③ a 落(お)とし　　b 落ち
④ a 冷(ひ)やし　　b 冷え
⑤ a 切(き)れ　　b 切っ
⑥ a 出(だ)し　　b 出(で)
⑦ a 乗(の)せ　　b 乗っ
⑧ a 消(き)え　　b 消(け)さ
⑨ a 開(あ)か　　b 開け
⑩ a 止(と)め　　b 止まり
⑪ a 閉(し)まっ　　b 閉め
⑫ a かかっ　　b かけ

第8回
① a 壊(こわ)れ　　b 壊し
② a 上(あ)がっ　　b 上げ
③ a 決(き)まっ　　b 決め
④ a 始(はじ)まっ　　b 始め
⑤ a 見(み)つから　　b 見つけ
⑥ a 集(あつ)まっ　　b 集め
⑦ a 終(お)わる　　b 終える
⑧ a 変(か)わっ　　b 変え
⑨ a 助(たす)かっ　　b 助け
⑩ a 混(ま)ぜて　　b 混じっ
⑪ a そろい　　b そろえる
⑫ a つい　　b つけて

第9回
① a 届(とど)いた　　b 届け
② a 並(なら)んで　　b 並べて
③ a 育(そだ)つ　　b 育てる
④ a 建(た)て　　b 建っ
⑤ a 続(つづ)か　　b 続ける
⑥ a 折(お)れ　　b 折って
⑦ a 焼(や)け　　b 焼い
⑧ a 割(わ)れ　　b 割っ
⑨ a 治(なお)り　　b 治し
⑩ a 戻(もど)し　　b 戻り
⑪ a 通(とお)し　　b 通る
⑫ a 残(のこ)さ　　b 残って
⑬ a 回(まわ)ら　　b 回す

第10回

① a 渡(わた)る　　b 渡す
② a 汚(よご)れた　b 汚し
③ a 増(ふ)え　　　b 増や
④ a 燃(も)える　　b 燃やし
⑤ a 起(お)き　　　b 起こし
⑥ a 動(うご)い　　b 動かし
⑦ a 減(へ)らし　　b 減ら
⑧ a なくなっ　　　b なくし
⑨ a 下(さ)がら　　b 下げ
⑩ a 破(やぶ)れ　　b 破っ
⑪ a 固(かた)め　　b 固まっ
⑫ a 降(お)ろす　　b 降り
⑬ a 離(はな)さ　　b 離れ

語句の訳 ◆ 説明文

※あいうえお順

～*

～くきこえる ～く聞こえる	to sound/seem ／听上去是～／～게 들리다
～とおり ～通り（二通り、など）	in ～ways／正如～／～가지
～にかぎる ～に限る	to be limited to ～／限于～／～에 한정하다
～にたいする ～に対する	in relation to ～／与～相対／～에 대한
～のてん ～の点	in terms of ～／～的一点／～의 점
～べき ～べき	should ～／应该～／～해야할

あ～お

あいて 相手	the other person／对方／상대
アイデア	idea／想法／아이디어
あいまい	ambiguous／暧昧／애매
あきらめる	to give up／断念／포기하다
あくい 悪意	ill intentions／恶意／악의
あらわす 表す	to express／表示／나타내다
ありがたい	to be appreciative of something／难得／감사하다
アルコール	alcohol／酒精／알코올
あんしんする 安心する	to be relieved／放心／안심하다
いこう 意向	intention／意向／의향
いし 意志	will／意志／의지
いちぶ 一部	part (of something)／一部分／일부
いっしゅん 一瞬	instant, split second／一瞬间／일순
いっていの 一定の	fixed／一定的／일정의
いっぱんに 一般に	in general／一般地／일반적으로
いっぽう 一方	on the other hand, in contrast／一方／한편
いどう 移動	to move／移动／이동
いどうする 移動する	to move／移动／이동하다
イメージ	image／印象／이미지
いらい 依頼	request／依赖／의뢰
いれかえ 入れ替え	replacement／更换／교체
いんしょう 印象	impression／印象／인상
いんたい 引退	retirement／引退／은퇴
うけみ 受身	passive voice／被动／수동
うける 受ける	to receive／接受／받다
えらぶ 選ぶ	to choose／选择／고르다
える 得る	to get／得到／얻다
おうよう 応用	application／应用／응용
おしつけがましい 押しつけがましい	pushy, intrusive／强加于人的／강요하는 듯한 감이 있다
おしつける 押し付ける	to push onto someone, foist／压上／밀어 붙이다
おもな 主な	main／主要的／주된
おもに 主に	mainly／主要的／주로

か～こ

かける （手間を）かける	to take the trouble to do something／花费／(수고를)들이다
かこ 過去	past／过去／과거
かてい 仮定	assumption／假定／가정
かならず 必ず	without fail／必定／반드시
かのう 可能	possible／可能／가능
かのうけい 可能形	potential form／可能形／가능성
かのうせい 可能性	possibility／可能性／가능성
かんがえ 考え	idea／思考／생각
かんじょう 感情	emotion／感情／감정
かんじる 感じる	to feel／感觉／느끼다
かんせい 歓声	cheer／欢声／환성
かんどうする 感動する	to be touched／感动／감동하다

日本語	漢字	English / 中文 / 한국어
かんとく	監督	coach／教练／감독
かんようてきな	慣用的な	customary／慣用的／관용적인
きかん	期間	period／期间／기간
ききて	聞き手	listener／听话方／듣는 사람

＊会話で、聞く側の人：in a conversation, the person who listens／在对话中听话的人／회화에서 듣는 쪽의 사람

ぎじゅつ	技術	technology／技术／기술
きそく	規則	regulations／规则／규칙
きっかけ	きっかけ	opportunity／契机／계기
きぶん	気分	mood／心情／기분
きぼうする	希望する	to hope／希望／희망하다
きほんてきに	基本的に	basically／基本的／기본적으로
ぎもん	疑問	doubt／疑问／의문
きゃっかんてきな	客観的な	objective／客观的／객관적
きょうちょうする	強調する	to emphasize／强调／강조하다
きんし	禁止	prohibition／禁止／금지
くじょう	苦情	complaint／抱怨／불평
くわえる	加える	to add／加上／더하다
けいけん	経験	experience／经验／경험
けいこう	傾向	trend／倾向／경향
けいぞく	継続	continuation／继续／계속
けいようし	形容詞	adjective／形容词／형용사
けっか	結果	results／结果／결과
けっていする	決定する	to decide／决定／결정하다
げんいん	原因	reason／原因／원인
げんざい	現在	now, presently／现在／현재
げんじつてき	現実的	realistic／现实的／현실적
こうい	行為	action, behavior／行为／행위
こころ	心	heart, spirit／心／마음
こじんてきな	個人的な	individual／个人的／개인적인
こたえる	答える	to answer／回答／대답하다
ことがら	事柄	affair, matter／事情／사항
ことなる	異なる	to be different／不同／다르다
ことわる	断る	to refuse／拒绝／거절하다
こんきょ	根拠	grounds／根据／근거
コントロール		control／控制／콘트롤

さ～そ

さ	差	difference／差／차
さいあく	最悪	awful／最糟／최악
さける	避ける	to avoid／躲避／피하다
さゆう	左右	left and right, side to side／左右／좌우
さんせい	賛成	approval／赞成／찬성
しかい	視界	field of vision／视野／시야
じかんをおく	時間を置く	to pause, take some time／间隔时间／시간을 두다
じじつ	事実	truth／事实／사실
じじょう	事情	circumstances／事情／사정
じしんをもつ	自信を持つ	to be confident／有自信／자신을 가지다
しぜんに	自然に	naturally／自然地／자연히
した	舌	tongue／舌头／혀
したがって		accordingly／因此／따라서
したしい	親しい	intimate, friendly／亲密／친하다
したしみ	親しみ	familiarity／亲密／친근함
じつげん	実現	to be realized, to come true／实现／실현
じっさい	実際	actually／实际／실제
じっさいは	実際は	actually／实际上／실제는
しつれい	失礼	rude or impolite act／失礼／실례
じてん	時点	point (in time)／时间／시점
しめす	示す	to show／表示／나타내다
しゅうかん	習慣	habit, custom／习惯／습관
しゅうじょし	終助詞	final particle／终助词／종조사
じゅうよう	重要	important／重要／중요
しゅうりょうする	終了する	to finish／结束／종료한다
しゅご	主語	subject／主语／주어
しゅだん	手段	means, method／手段／수단
しゅちょうする	主張する	to affirm, assert／主张／주장하다

しゅるい 種類	type／种类／종류
じゅん 順	order／次序／순
しゅんかん 瞬間	moment, instant／瞬间／순간
しゅんかんてき 瞬間的	momentary／瞬间的／순간적
しよう 使用	use／使用／사용
じょうきょう 状況	situation／状况／상황
じょうけん 条件	condition／条件／조건
じょうたい 状態	condition／状态／상태
じょうほう 情報	information／信息／정보
しょうらい 将来	future／将来／장래
しょうりゃくする 省略する	to abbreviate／省略／생략하다
じょげん 助言	advice／建议／조언
じょし 助詞	particle／助词／조사
しんりてき 心理的	psychological／心理的／심리적
すいりょう 推量	estimate, guess／推測／추측
すすめる 勧める	to recommend／推荐／권하다
ストレートな	straightforward／直接／직접적인
せいしつ 性質	disposition／性质／성질
せいりする 整理する	to tidy up, put in order／整理／정리하다
せいりつ 成立	formation／成立／성립
せきにん 責任	responsibility／责任／책임
せつぞくする 接続する	to connect／接续／접속하다
せめる 責める	to blame／责备／비난하다
せんたくし 選択肢	choice／选项／선택지
ぜんてい 前提	assumption／前提／전제
せんもん 専門	expert／专业／전문
そうぞう 想像	imagination／想像／상상
そうていする 想定する	to envision／估计／어떤 상황을 가정하다
そのば その場	that place／当场／그 장소
ソフトな	soft／柔软的／부드러운
そんざい 存在	existence／存在／존재

た～と

たいど 態度	attitude／态度／태도
たいひ 対比	comparison／对比／대비
だいひょう 代表	representative／代表／대표
たずねる 尋ねる	to ask, inquire／访问／묻다
たちば 立場	position／立场／입장
たっせいする 達成する	to attain／达成／달성하다
だんかい 段階	stage／阶段／계단
だんげんする 断言する	to assert／断言／단언하다
たんたんと 淡々と	in a matter-of-fact way／淡泊／담담히
たんに 単に	simply／仅／단순히
ちがい 違い	difference／不同／틀림
ちかづく 近づく	to come close／接近／다가가다
ちゃんと	properly／好好地／제대로
ちゅういする 注意する	to warn, tell off／注意／주의하다
ちゅういてん 注意点	things to be wary of／注意点／주의점
ちょうし （声の）調子	condition (of voice)／（声）调／（목소리의）어조
ちょくせつ 直接	direct／直接／직접
ちょくぜん 直前	just before／即将……之前／직전
つかいわける 使い分ける	to use things for different purposes／分別使用／구분해 사용하다
ていあん 提案	proposal／提案／제안
できごと 出来事	event／事件／생긴일
てきとうな 適当な	appropriate, matching／正好／적당한
てじゅん 手順	sequence, procedure／顺序／수순
てま 手間	time and effort／工夫／수고, 품
てんけい 典型	archetype, representative／典型／전형
でんぶん 伝聞	hearsay／传闻／전문
どうい 同意	consent／同意／동의
どうぐ 道具	tool／道具／도구
どうさ 動作	action, behavior／动作／동작
どうさしゅ 動作主	agent／动作主体／동작하는 사람
どうし 動詞	verb／动词／동사
どうじに 同時に	at the same time／同时／동시에
とうぜん 当然	natural, obvious／当然／당연

とおまわし 遠まわし	roundabout (indirect)／拐弯抹角／간접적임

*直接でなく、間接的な様子：an indirect way of going about something／不直接, 间接的样子／직접적이 아니고 간접적인 모습

とくちょう 特徴	characteristics／特征／특징
とくていする 特定する	specify／特定／특정하다
とちゅう 途中	on the way／途中／도중
とりあげる 取り上げる	to pick up／拿起／취급하다
どりょく 努力	effort／努力／노력

な～の

なっとく 納得	understanding／认可／납득
ならぶ 並ぶ	to line up／排列／늘어서다
ニュアンス	nuance, implication／语感／뉘앙스
ねんをおす 念を押す	to tell someone emphatically／叮嘱, 叮问／다짐한다
のこる 残る	to remain／剩下／남다
のぞむ 望む	to hope／希望／바라다
のべる 述べる	to express, describe／叙述／말하다, 진술하다

は～ほ

ばあい 場合	(in the) case (of ~)／场合／경우
はたらき 働き	function, operation／工作／작용, 일함
はつげん 発言	statement, remarks／发言／발언
はなしかける 話しかける	to speak to／搭话／말하다
はなして 話し手	speaker／说话人／화자

*会話で、話す側の人：in a conversation, the person who speaks／对话中的说话方／회화에서 말하는 쪽의 사람

ばめん 場面	scene, situation／场面／장면
はんい 範囲	scope／范围／범위
はんだん 判断	judgment／判断／판단
はんのう 反応	reaction／反应／반응
ひかえめ 控え目	restraint, discretion／有节制／조심스러움
ひつよう 必要	necessary／必要／필요
ひてい 否定	denial／否定／부정
ひはんする 批判する	to criticize／批判／비판하다
ひふ 皮ふ	skin／皮肤／피부
ひょうか 評価	evaluation／评价／평가
ひょうげん 表現	expression／表现／표현
ふあん 不安	uncertainty, worry／不安／불안
ふかい 不快	displeasure／不快／불쾌
ふくし 副詞	adverb／副词／부사
ふくすう 複数	plural, multiple／复数／복수
ふくむ 含む	to include／包含／포함하다
ぶぶん 部分	part／部分／부분
ふんいき 雰囲気	atmosphere／气围／분위기
ぶんしょう 文章	composition, text／文章／문장
ぶんまつ 文末	end of sentence／句末／문잘 끝(문말)
へいこうして 並行して	in parallel／并行／병행해서
へんか 変化	change／变化／변화
ポイント	important point, focus／重点／포인트

*話や説明の、大事なところ：essential part of a story or explanation／谈话或说明的重要之处／말이나 설명의 중요한 포인트

ほうこう 方向	direction／方向／방향
ほうこく 報告	report／报告／보고
ほめる	to praise／表扬／칭찬하다

ま～も

まんぞくする 満足する	to be satisfied／满足／만족하다
みかた 見方	perspective／看法／견해
みじゅく 未熟	immature／未成熟／미숙
むしする 無視する	to ignore／无视／무시하다
むせきにん 無責任	irresponsibility／没有责任／무책임
めいし 名詞	noun／名词／명사
めいれい 命令	order／命令／명령
めいわく 迷惑	nuisance, bother／麻烦／폐
めいわくな 迷惑な	troublesome／麻烦／폐가 되는
めうえ 目上	senior (to oneself)／上司／손윗사람

もうけっこう　もう結構		"That's enough, thanks"／已经够了／이제 충분함
もくてき　目的	objective／目的／목적	
もくてきち　目的地	destination／目的地／목적지	
もちもの　持ち物	belongings／携帯物品／소지물	
もとの　元の	former／起因／원래	
もとめる　求める	to ask for／寻求／구하다	

や〜

ようす　様子	state (of something)／样子／모습
よろこび　喜び	joy／喜悦／기쁨
よろこぶ　喜ぶ	to be happy／喜悦／기뻐하다
りかいする　理解する	to understand／理解／이해하다
りゆう　理由	reason／理由／이유
りょういき　領域	area, domain／领域／영역
りょうほう　両方	both／双方／양쪽
レベル	level／水平／레벨
わだい　話題	topic／话题／화제

語句の訳 ◆ 問題と例文

※ユニット順
（01～55の課の順）

01

たのむ 頼む	to ask, order／请求／부탁하다	
わたす 渡す	to pass／交给／전달하다	
めんきょ 免許	license／许可／면허	
ぶちょう 部長	manager／部长／부장	
いねむり 居眠り	to doze off／瞌睡／앉아서 졺	
*座ったまま、眠ること。		
さぎょう 作業	work／操作／작업	
けっきょく 結局	finally, in the end／最终／결국	
つらい 辛い	tough／痛苦／괴롭다	
だまる 黙る	to keep quiet／沉默／입을 다물다	
パスタや パスタ屋	pasta restaurant／意大利面馆／파스타가게	
このめでみる この目で見る	to see firsthand／亲眼看／이 눈으로 보다	
ためる 貯める	to save／积攒／모으다	

02

みずぎ 水着	swimming costume／泳衣／수영복
たくはいびん 宅配便	delivery service／送货到门／택배편
はなよめ 花嫁	bride／新娘／며느리
～いがい ～以外	except for ～／～以外／～이외

03

はっきり	clearly／清楚／확실히
ぬく 抜く	to remove／抽出／빼다
はれる 腫れる	to swell／肿胀／붓다
むしば 虫歯	cavity／虫牙／충치
そういえば	speaking of which／这么说来／그러고보면
くるしむ 苦しむ	to suffer／痛苦／괴로워하다
すんぜん 寸前	just before／迫在眉睫／직전
おおごえ 大声	大きい声。
ねっき 熱気	heat／热情／열기
くうちょう 空調	air conditioning／空调／에어컨
から 空	empty／空／텅빔

04

あばれる 暴れる	to become violent／乱闹／난폭하게 굴다
ふあん 不安	uncertainty, worry／不安／불안
～にたいする ～に対する	in relation to ～／对于～／～에대한
じしん 地震	earthquake／地震／지진
せんもんか 専門家	expert／专家／전문가
こわい 怖い	scary／害怕／무섭다
おきる 起きる	to occur／发生／일어나다
かくじつ 確実	certain／确实／확실
ぼうはんカメラ 防犯カメラ	security camera／防犯录像／방범카메라
ゆうれい 幽霊	ghost／幽灵／유령
おもい 重い	serious／重的／무겁다
けんさ 検査	checkup／检查／검사

05

にゅういん 入院	to be hospitalized／住院／입원
おみまい お見舞い	visit (someone in hospital, etc)／探望病人／병문안
しょるい 書類	documents／资料／서류
けいりか 経理課	accounting department／财务科／경리과
スピーチ	speech／讲演／스피치

06

てんめつする 点滅する	to blink／闪烁／점멸하다
ひにやける 日に焼ける	to become tan／皮肤晒黑／햇볕에 타다
ランプ	lamp／灯／램프
あんぜん 安全	safe／安全／안전
いちめん 一面	one side／一面／일면
まっ～ 真っ～	really ～／纯～／새～
じゅうでん 充電	charging／充电／충전

さき 先	first／前方／앞	
すっかり	completely／完全／완전히	
もと 元	former／起因／원래	
はさむ	insert, put something between／插入／끼다	
はだ 肌	skin／皮肤／피부	
びじん 美人	beauty／美人／미인	
うらやましい	envious／羨慕／부럽다	

07

いんしょう 印象	impression／印象／인상
つきあう 付き合う	to accompany／交往／사귀다
じきゅう 時給	hourly wage／小时工资／시급
けいき 景気	economy／景气／경기
くるしい 苦しい	painful, tough／痛苦／괴롭다
やむ 止む	to stop／停止／그치다
しゅうごう 集合	gathering／集合／집합

08

きこくする 帰国する	to return home (to one's country)／回国／귀국하다
うつる 移る	to move／移动／옮기다
けいかく 計画	plan, scheme／计划／계획
たいしょう 対象	object (of study, etc)／对象／대상
ちいき 地域	area, region／地域／지역
けんこうしんだん 健康診断	health check／健康诊断／건강진단
	*体の状態を確かめるために、いろいろ調べること。
PTA	Parent Teacher Association／PTA／학부모회
かいちょう 会長	chairperson／会长／회장
ちりょう 治療	treatment／治疗／치료
しょうがくきん 奨学金	scholarship／奖学金／장학금
ますます	more and more／越来越／점점
さいばん 裁判	case, trial／裁断／재판
けっか 結果	result／结果／결과
ひよう 費用	expenses／费用／비용

09

にあう 似合う	to suit/fit someone／般配／어울리다
がっき 楽器	instrument／乐器／악기

10

じょゆう 女優	actress／女演员／여배우
ライブ	concert, gig／现场直播／라이브
はっぴょうかい 発表会	presentation／发表会／발표회
けがにん けが人	injured person／伤者／부상자
しょうぼうしゃ 消防車	fire engine／消防车／소방차

11

きづく 気づく	to realize／注意／알아채다
ちょうじょう 頂上	peak／山顶／정상
ソファ	sofa／沙发／소파
ぎょうぎ 行儀	manners／举止／예의범절

12

たのむ 頼む	to ask, order／委托／부탁하다
のせる 載せる	to put／放／싣다,태우다

13

じこ 事故	accident／事故／사고
おこす 起こす	to cause／引发／일으키다
あやまる 謝る	to apologize／道歉／사과하다
ぶつかる	to run/knock into (intr.)／撞／부딪치다
ぶつける	to run/knock into (tr.)／撞上／부딪치다
きにする 気にする	to bother, mind／在意／걱정하다
そうさ 操作	operation, workings／操作／조작
ミス	error (in calculation, etc)／错误／미스
データ	data／资料／데이터
でんぱ 電波	electromagnetic wave／电波／전파
ちょうしがわるい 調子が悪い	to not feel well／状态不佳／몸상태가 나쁘다
いけない	not good／不可以／안된다

14

プロ	professional／专业／프로
ピアニスト	pianist／钢琴家／피아니스트
おしえご 教え子	one's student／弟子／연주회

えんそうかい 演奏会　recital／演奏会／연주회
さすが　as expected／不愧是／과연
＊期待どおりだと、その実力に改めて感心する様子。：situation in which things turn out as expected, in line with someone's ability／和所期待的一样,对其实力再次感到佩服的样子。／기대대로라고 그 실력에 새삼 감탄하는 모습

かんどうする 感動する　to be touched／感动／감동하다
おじょうちゃん お嬢ちゃん　小さい女の子を呼ぶときの言い方。
さくひんてん 作品展　exhibition of works／作品展／작품전
すばらしい 素晴らしい　fantastic／精彩／멋지다
わざわざ　to take the trouble to do something／特意／일부러
それほどでもない　not even that ～／并没那样／그정도는 아니다
すいえい 水泳　swimming／游泳／수영
ながれる 流れる　to flow／流／흐르다
カメラマン　cameraman／摄影师／카메라맨
とる 撮る　to take (a photo)／拍摄／찍다
こうしょう 交渉　to negotiate／交涉／교섭
かんしんする 感心する　to admire／佩服／감탄하다
けいけん 経験　experience／经验／경험
うらやましい　to be envious／羡慕／부럽다
がか 画家　painter／画家／화가
こてん 個展　solo exhibition／个展／개인전
＊個人でする展覧会：exhibition by an individual artist／个人举办的展览会／개인이 하는 전람회
いろづかい 色使い　色の使い方／花钱游玩／색사용
いろをだす 色を出す　to add color to something／正言厉色／색을 내다

15

しゅしょう 首相　prime minister／首相／수상
かいがい 海外　overseas／海外／해외

16

ねあがりする 値上がりする　to go up in price／涨价／가격인상을 하다
あらわれる 現れる　to appear／出现／나타나다
きゃくせき 客席　audience seat／观众席／객석
かんせい 歓声　cheer／欢声／환성
あんていする 安定する　stability／安定／안정하다
とうぶん 当分　for the moment／暂时／당분
ふあんてい 不安定　unstable／不安定／불안정
いいん 委員　committee member／委员／위원

17

ほっとする　to be relieved／放松／안심하다
しゅうしょく 就職　finding employment／就职／취직
ゆびわ 指輪　ring／戒指／반지
しょうひん 商品　product／商品／상품
わかもの 若者　young person／年轻人／젊은 사람
～むけ ～向け　for ～／面向～／～대상
けんさ 検査　checkup／检查／검사
がん　cancer／癌／암
キャンセルする　to cancel／取消／취소하다
ハイキング　hiking／郊游／하이킹
あんしんする 安心する　to be relieved／放心／안심하다
たからくじ 宝くじ　lottery／彩票／복권
よぶ 呼ぶ　「誘う、招待する」の意味。
わすれもの 忘れ物　lost belongings／遗忘的物品／분실물
センター　center／中心／센터

18

すすめる 勧める　to recommend／劝告／권하다
ことわる 断る　to refuse／拒绝／거절하다
にほんしゅ 日本酒　Japanese liquor (sake)／日本酒／일본주(정종)
バイキング　buffet／自助餐／부페
おうかがいする　「(私は)行く」のていねいな言い方。
かんとんご 広東語　Cantonese／广东话／광동어
ぺきんご 北京語　Mandarin／北京话／북경어
きゅうとう 給湯　hot water／供给热水／뜨거운 물

日本語	漢字	English / 中文 / 한국어
システム		system／系统／시스템
ぐあい	具合	condition／情况／형편
こうざ	口座	account／账户／구좌
あんしょうばんごう	暗証番号	password／密码／비밀번호

19

日本語	漢字	English / 中文 / 한국어
かちょう	課長	department/unit head／科长／과장
たまに		sometimes／偶尔／가끔
えんりょする	遠慮する	to hold back, be considerate／客气／사양하다
きろく	記録	record／记录／기록
とうぶん	当分	for the moment／暂时／당분간
やぶる(記録を)	破る	to break (a record)／打破(记录)／(기록을) 깨다
きもちわるい	気持ち悪い	creepy／不舒服／기분이 나쁘다
せわ	世話	care／照顾／돌봄

20

日本語	漢字	English / 中文 / 한국어
プロポーズする		to propose (marriage)／求婚／프로포즈하다
しゅうしょくする	就職する	to find a job／就职／취직하다
うけとる	受け取る	to receive／接受／받다
まご	孫	grandchild／孙子／손자
ストレス		stress／压力／스트레스
ためる		to save／积攒／쌓다
にこにこ		smiling／微笑／빙긋빙긋
おしえご	教え子	pupil／弟子／가르친 아이
かわる	代わる	to switch／代替／대신하다
ブログ		blog／博客／블로그

21

日本語	漢字	English / 中文 / 한국어
じこしょうかい	自己紹介	self-introduction／自我介绍／자기소개
にゅうしゃ	入社	to join a company／进公司／입사
しゅじゅつ	手術	surgery／手术／수술
しゅじゅつしつ	手術室	operating room／手术室／수술실
なくなる 亡くなる		to die／去世／죽는다

22

日本語	漢字	English / 中文 / 한국어
わりばし	割りばし	disposable chopsticks／方便筷／나무젓가락
こんなに~		this~, such~／这样~／이렇게~
かってに	勝手に	as one pleases／随便／멋대로

23

日本語	漢字	English / 中文 / 한국어
どそく	土足	with one's shoes on／穿着鞋进屋／신을 신은 채의 발

*靴をはいたまま、部屋などに入ること：entering a room with one's shoes on／穿着鞋就进屋。／구두를 신은채 방에 들어가는 것

日本語	漢字	English / 中文 / 한국어
きんし	禁止	prohibition／禁止／금지
パジャマ		pajamas／睡衣／잠옷
しっぱい	失敗	failure／失败／실패
かんじる	感じる	to feel／感觉／느끼다
ちゃくりく	着陸	to land, touch down／着陆／착륙
ベルト		belt／腰带／벨트
しめる(ベルトを)	締める	to fasten (a belt)／系(腰带)／(벨트를) 조이다
かぶる(ぼうしを)		to wear (a hat)／戴(帽子)／(모자를) 쓰다
あいさつする	挨拶	greeting／寒暄／인사
レントゲン		X-ray／X光线／뢴트겐
ビショビショ(びしょびしょ)		to be soaked／湿透了／흠뻑

*服などが、ひどく濡れている様子：the state of something (clothes, etc) being completely wet／衣服等湿得特别厉害的样子／옷등이 흠뻑 젖어 있는 모습

日本語	漢字	English / 中文 / 한국어
コンタクトレンズ		contact lens／隐形眼镜／콘텍트렌즈

24

日本語	漢字	English / 中文 / 한국어
スマート		smart／苗条／스마트
いっしょうけんめい	一生懸命	with all one's might／拼命／열심히
ほうちょう	包丁	knife／菜刀／부엌칼
れいとう	冷凍	frozen／冷冻／냉동
かつどう	活動	activities／活动／활동
つづける	続ける	to continue／继续／계속하다
ぼきん	募金	fundraising／募捐／모금

ちきゅう 地球	the Earth／地球／지구
かんきょう 環境	environment／环境／환경
ガス	gas／煤气／가스
すいどう 水道	water supply／自来水／수도
むだ 無駄	waste／无用／쓸데없음
いる 要る	to be required／需要／필요하다
わがし 和菓子	Japanese sweets／日式点心／화과자
ショック	shock／打击／쇼크
のせる 乗せる	to put something on／放上／올리다

㉕

りかいする 理解する	to understand／理解／이해하다
あわてる	be upset／慌忙／당황합니다
ぎょうれつ 行列	line／队列／행렬
まとめる	to bring together, compile／总结／정리하다
たからくじ 宝くじ	lottery／彩票／복권
あたる（くじが）当たる	to win the lottery／中（彩票）／(복권이) 당첨되다
めんどう 面倒	nuisance, trouble／麻烦／귀찮음
クリスマス	Christmas／圣诞节／크리스마스
かくす 隠す	to hide／隐藏／숨기다
こんなに〜	this 〜／这样〜／이렇게〜

㉖

マレーシア	Malaysia／马来西亚／말레이시아
ボーナス	bonus／奖金／보너스
かきなおす 書き直す	to rewrite／重新写／다시쓰다
ていしゅつする 提出する	to submit／提出／제출하다
しゅうしょくする 就職する	to find work／就职／취직하다
だいがくいん 大学院	graduate school／研究生院／대학원
どくしん 独身	single／独身／독신
ハワイ	Hawaii／夏威夷／하와이

㉗

たからくじ 宝くじ	lottery／彩票／복권
おく 億	hundred million／亿／억
あたる（くじが）	to win the lottery／中（彩票）／(복권이) 당첨되다
ぱーっと パーッと	going all out／粗略地／통이 크게
＊「こまかいことは考えないで」という意味。
しょうらい 将来	future／将来／장래
そうりだいじん 総理大臣	prime minister／总理大臣／총리대신
ぜいきん 税金	tax／税金／세금
ねぼうする 寝坊する	to sleep in／睡懒觉／늦잠자다
やきゅう 野球	baseball／棒球／야구
プロ	professional／专业／프로
めざす	to aspire to become／以…为目标／목표로하다
ひっし 必死	to struggle to〜／拼命／필사
みらい 未来	future／未来／미래

㉘

| おかねをおろす お金をおろす | withdraw money／取出钱／돈을 인출한다 |

㉙

るす 留守	absence／不在家／부재
あずかる 預かる	to take care of／保管／맡기다
たくはいびん 宅配便	home delivery／送货到门／택배편
だいひょう 代表	representative／代表／대표
さんせい 賛成	approval／赞成／찬성
ひきうける 引き受ける	to accept, undertake／接受／책임지고 떠 맡다
かざる 飾る	to decorate／装饰／장식하다
ほんにん 本人	the actual person／本人／본인

30

ちゅういする　注意する		to warn, tell off／提醒／주의하다
どろ　泥		mud／泥／진흙
でんげん　電源		socket／电源／전원
ざいりょう　材料		material／材料／재료
きゅうり		cucumber／黄瓜／오이
かれる　枯れる		to wither／枯萎／마르다
がす		gas／煤气／가스
レンジ		microwave／微波炉／렌지

31

すすめる　勧める		to recommend／劝告／권하다
はこぶ　運ぶ		to carry／搬运／나르다
うるさい		noisy／吵闹的／시끄럽다
ベランダ		verandah／阳台／베란다
しょくぶつ　植物		plants／植物／식물

32

こえをかける　声をかける　　「話しかける」の意味。

33

かた　肩		shoulder／肩膀／어깨
たたく		to tap／拍／두드리다
ゆびわ　指輪		ring／戒指／반지
とうばん　当番		duty／值班／당번
かわる　代わる		to switch, change over／代替／대신하다
まよう　迷う		to get lost／迷路／헤매다
じゅぎょうりょう　授業料		course fees／学费／수업료
だす　出す		to pay／交付／내다
そんけいする　尊敬する		to respect／尊敬／존경하다
そだてる　育てる		to raise／养育／기르다

34

コピーき　コピー機		copy machine／复印机／복사기
スイッチ		switch／开关／스위치
ランプ		lamp／灯／램프
おゆがわく　お湯がわく		to boil (hot water)／水开了／(뜨거운)물이 끓다
ほんしゃ　本社		head office／总公司／본사
レンタルする		to rent／租赁／렌탈하다
がめん　画面		screen／画面／화면
かくにんする　確認する		to verify／确认／확인하다
はんにん　犯人		criminal／犯人／범인
けんさ　検査		checkup／检查／검사
とうあんようし　答案用紙		answer sheet／答案纸／답안용지
あいず　合図		cue, signal／信号／신호
きがつく　気がつく		to realize／注意／알아 채다

35

つつむ　包む		to wrap／包／싸다
いれわすれる　入れ忘れる		to forget to put／忘记放进去／넣는 것을 잊다
きづく　気づく		to realize／注意／알아 채다
へんな　変な		strange／奇怪的／이상한
ベビーフード		baby food／婴儿食品／유아식
うりきれ　売り切れ		to be sold out／卖光／매진
インフルエンザ		flu／流行感冒／인플렌자
しちゃくする　試着する		to try on／试穿／시착하다

36

しまう		to put away／收放／넣다
テラス		terrace／阳台／테라스
ざせき　座席		seat／座位／좌석
アレルギー		allergy／过敏／알레르기
くしゃみ		sneeze／喷嚏／재채기
かう　飼う		to keep (a pet)／饲养／사육하다
け　毛		hair, fur／毛／털

37

きぶんがわるい　気分が悪い　　to be in a bad mood／不舒服／기분이 나쁘다

シートベルト	seatbelt／安全帯／안전벨트

38

しゅっせき 出席	to be present／出席／출석
めんせつ 面接	interview／面试／면접
ようし 用紙	form／用纸／용지
だいぶ 大分	really, a lot／很／상당히

39

ひげ	beard, mustache／胡子／수염
そる(ひげを)	to shave／剃(胡子)／(수염을)깎다
ひやけ 日焼け	suntan／晒黑／햇볕에 그을림
たいさく 対策	measure, policy／对策／대책
てぶくろ 手袋	gloves／手套／장갑
サングラス	sunglasses／太阳镜／선글라스
ベンチ	bench／长椅／벤치
がいしゅつする 外出する	to go out／外出／외출하다

40

けんしゅうじょ 研修所	laboratory／研修所／연수장
ちょっとした	a little (present, etc)／一点儿／사소한
たからくじ 宝くじ	lottery／彩票／복권
あたる(くじが)	to win the lottery／中(彩票)／(복권이) 당첨되다
ひゃくえんショップ 100円ショップ	100 yen shop／百元店／100엔숍

*売っているものが、すべて100円の店：shop where everything is 100 yen／所有商品都是 100日元的店／모든 상품이 100엔인 가게

マグロ	tuna／金枪鱼／다랑어
さいにゅうこく 再入国	reentry／再入境／재입국
てつづき 手続き	procedure／手续／수속
ねんまつ 年末	end of year／年末／연말
まえうりけん 前売り券	advance tickets／预售票／예매권

41

さそう 誘う	to invite／邀请／권유하다

42

トラック	track／卡车／트럭
みおくり 見送り	send-off／送行／배웅
かんこう 観光	tourism／观光／관광

43

うちわ	fan／团扇／부채
はなしかける 話しかける	to speak to／搭话／말하다
ちゅうかりょうり 中華料理	Chinese food／中餐／중화요리
スパイス	spice／香料／스파이스
ほこり	dust／尘土／먼지
～ぶん ～分	enough for ～／～部分／～분

*「～に必要な数、量」という意味。

ふみきり 踏切	railroad crossing／岔口／철도 건널목
パトカー	patrol car／警车／순찰차
きゅうきゅうしゃ 救急車	ambulance／救护车／구급차
へんな 変な	strange／奇怪的／이상한
におい 匂い	smell／味道／냄새

44

にほんしゅ 日本酒	Japanese liquor (sake)／日本酒／일본주(정종)
かちょう 課長	department/unit head／科长／과장
ぶちょう 部長	manager／部长／부장
(もう)けっこう (もう)結構	to be fine ("no, thank you")／(已经)够了／(이제)됐음
りれきしょ 履歴書	resume／履历表／이력서

45

しゅっしんち 出身地	birthplace／出生地／출신지
しゅうり 修理	repair／修理／수리

しゅるい 種類	type／种类／종류
いたみどめ 痛み止め	painkiller／止痛／진통제
カプセル	capsule／胶囊／캡슐
ひきだし 引き出し	drawer／抽屉／서랍
とくていする 特定する	to specify／特定／특정하다
いたみどめ 痛み止め	painkiller／止痛／진통제
ひきだし 引き出し	drawer／抽屉／서랍

46

スリ	pickpocket／扒手／소매치기

＊服のポケットやかばんなどから、気付かれないように財布などを盗む人：someone who steals a wallet out of your pocket or bag without you noticing／偷偷摸摸地从衣服口袋或包里偷钱包的人／옷의 주머니나 가방에서 알아채지 못하도록 지갑등을 훔치는 사람

はなぢ 鼻血	nosebleed／鼻血／코피
あてる 当てる	to hit／碰上／맞추다

はきけ 吐き気	nausea／恶心／구역질
ていしゅつ 提出	submission／提出／제출
ていしょく 定食	set meal of several dishes／套餐／정식
けいさん 計算	calculation／计算／계산

48

ほうこくしょ 報告書	report／报告书／보고서
しあげる 仕上げる	to finish／完成／완성하다
キャンペーン	campaign／运动员／캠페인
えんそうかい 演奏	performance／演奏／연주
ちゅうし 中止	cancellation／中止／중지
しんせい 申請	application／申请／신청
しめきり 締め切り	deadline／截止日期／마감

49

じんじゃ 神社	shrine／神社／신사
ブラウス	blouse／衬衫／블라우스
したぎ 下着	underwear／内衣／속옷

がめん 画面	screen／画面／화면
ばんぐみひょう 番組表	listings, program information／节目表／텔레비전 프로그램
ベージュ	beige／米色／베이지
もうしわけない 申し訳ない	sorry／对不起／미안하다

50

ダイヤ（モンド）	diamond／钻石／다이아몬드
きん 金	gold／钱／금
としうえ 年上	elder／年长／연상
えんりょする 遠慮する	to be considerate／客气／사양하다
にあう 似合う	to suit/fit someone／匹配／어울리다
れんきゅう 連休	long weekend／连休／연휴
こうそくどうろ 高速道路	highway／高速公路／고속도로
じゅうたい 渋滞	traffic jam／堵车／정체
スタイル	style／形式／스타일
タワー	tower／塔／탑
やね 屋根	roof／房顶／지붕

51

しおからい 塩辛い	salty／咸／짜다
こうすい 香水	perfume／香水／향수
はだ 肌	skin／皮肤／피부
しょうぼうしゃ 消防車	fire engine／消防车／소방차
けむり 煙	smoke／烟／연기
なし ナシ	Japanese pear／梨／배
ミックスする	to mix／混杂／믹스하다
かたい 硬い	hard／硬的／딱딱하다
へんな 変な	strange／奇怪的／이상한
におい 匂い	smell／味道／냄새
くさる 腐る	to rot／腐烂／썩다
しょうみきげん 賞味期限	expiry date／保质期／소비기간
にる 煮る	to boil／煮／끓이다

かおいろがわるい　顔色が悪い
　　　　　　to not look well／脸色不好／
　　　　　　얼굴색이 나쁘다

さむけがする　寒気がする
　　　　　　to feel chilly／感觉发冷／한기가 나다

52

じかんをつくる　時間をつくる
　　　　　　to make (time)／找（时间）／
　　　　　　(시간을) 만들다

できるだけ　　as far as possible／尽量／가능한 한
このみ　好み　preference／喜好／취향
ビタミン　　　vitamin／维生素／비타민
はだ　肌　　　skin／肌肤／피부

53

たいど　態度　attitude／态度／태도
スポーツマン　sportsman／运动员／스포츠맨
サル　　　　　monkey／猴子／원숭이
ヘビ　　　　　snake／蛇／뱀
ひかる　光る　to shine／发光／빛나다
せわになる　世話になる
　　　　　　to be taken care of／承蒙照顾／도움을 받다
さわやかな　　crisp, refreshing／清爽／산뜻한
きちょうめんな　几帳面な
　　　　　　well-organized／认真的／꼼꼼한

54

しょうてんがい　商店街
　　　　　　shopping street／商店街／상점가
しゃかい　社会　society／社会／사회
わかもの　若者　young people／年轻人／젊은 사람
ドライブ　　　　drive／开车兜风／드라이브
やまみち　山道　山の中の道。
がまんする　我慢する
　　　　　　to tolerate, live with／忍耐／참다
かってに　勝手に　as one pleases／随便／멋대로
はんにん　犯人　criminal／犯人／범인
しない　市内　　in the city／市内／시내
こくどう　国道　national highway／国道／국도

つかまえる　捕まえる
　　　　　　catch／捉住／잡다

55

けんしゅう　研修　training／研修／연수
かんとく　監督　director, supervisor／导演, 教练／감독
いんたいする　引退する
　　　　　　to retire／隐退／인퇴하다
ざんぎょう　残業　overtime／加班／잔업

まとめの問題

【第1回】

つごうがわるい 都合が悪い		to not be free/available／不方便／사정이 안 좋다
きんせい 金星	Venus／金星, 大功／금성	
きびしい 厳しい	strict, tough／严厉／엄격하다, 험하다	
はさみ	scissors／夹子／가위	
シートベルト	seatbelt／安全带／안전벨트	
ストーブ	stove／火炉／난로	
はなれる 離れる	to be away from／离开／떨어지다	
いちりゅう 一流	first rank／第一流／일류	

【第2回】

こうくう 航空	airline／航空／항공
ショック	shock／吃惊／쇼크
ちゃんと	properly／好好地／제대로
データ	data／数据／데이터
とにかく	at any rate／总之／어쨌든

【第3回】

ジャガイモ	potato／土豆／감자

【第4回】

まご 孫	grandchild／孙子／손자

【第6回】

フロント	reception／服务台／프런트
スリッパ	slipper／拖鞋／슬리퍼
アップルパイ	apple pie／苹果派／애플파이
しゅうしょく 就職	finding work／就职／취직

【第7回】

ふらふら	to totter, wobble／摇晃／휘청휘청
いと 糸	thread, yarn／线／실
きおく 記憶	memory／记忆／기억
こくばん 黒板	blackboard／黑板／칠판
ふた	cover／盖子／뚜껑

【第8回】

チーム	team／队／팀
マッチ	match／火柴／성냥
ようす 様子	condition, how something looks／样子／모습,모양
かってに 勝手に	as one pleases／任意地／멋대로

【第9回】

せいり 整理	to tidy up, organize／整理／정리
マンション	condominium／公寓／아파트
りょうめん 両面	both sides／两面／양쪽
～ぞい／～沿い	along/on the ～／沿着～／～을 따라